알랭
행복론

알랭
행복론

알랭 지음 | 박별 옮김

뜻이있는사람들

옮긴이 **박별**

전문번역가, 아카시에이전트 대표.
역서로는 「아무도 가르쳐주지 않는 부의 비밀」, 「철강왕 카
네기 자서전」, 「인간의 운명」, 「잃어버린 문명을 찾아서」,
「인간의 조건」, 「니체 인생론」외 다수가 있다.

알랭 행복론

2018년　9월 10일 1판 1쇄 인쇄
2018년　9월 15일 1판 1쇄 발행

지은이 l 알랭
옮긴이 l 박별
펴낸이 l 김정재
펴낸곳 l 뜻이있는사람들

등록 l 제410-304호
주소 l 경기도 고양시 일산서구 대산로 215(대화동) 연세프라자 303호
전화 l 031-914-6147
팩스 l 031-914-6148
이메일 l naraeyearim@naver.com

ISBN 978-89-90629-47-0　03850

다른 사람은 물론이고 자신에게도 친절할 것.
타인의 삶을 도와주고 자신의 삶 또한 도와줄 것.
이것이야말로 진정한 배려다.

*

친절한 행위는 기쁨의 씨앗이다. 사랑은 기쁨인 것이다.

*

사람에게는 용기가 있다.
가끔 그런 것이 아니라 근본적으로 용감하다.

생애와 작품세계

생애

알랭(Alain): 본명은 에밀 아우구스트 샤르티에(Emile Auguste Chartier, 1868. 3. 03~1951. 6. 02. 프랑스의 철학자·평론가). 체계화를 싫어하고 구체적인 대상을 눈앞에 두고 표현하고자 하는 것이 알랭의 작법으로, 이성주의 입장에서 철학, 예술, 도덕, 역사, 종교, 정치, 교육 등 모든 문제에 대하여 논하였다. 그의 제자 모르와는 "정신은 진리의 쓰레받기가 아니다."라 말하여 사상의 귀납과 요약을 전부라 하지 않고 현실에 적응한 살아 있는 사고(思考)를 통하여 대상을 파악하려 하는데, 특히 기성 체제에 대한 불신과 회의적인 태도는 현대의 소크라테스 내지는 몽테뉴라 불릴 만하다. 그는 '잘 판단하는 것이 잘 행동하는 것이다.' 라고 이성을 높이 평가하였다. 알랭은 1920년 저서 『예술론집』에서 예술 영감설을 부정하고 예술이란 이성과 의지가 소재를 극복하고 상상력에 통제를 더 하는 것으로 생각했다. 또한 저서 『이데아』에서 데카르트에 대하여 '심신 문제에 대해서는 아직까지 데카르트보다 훌륭한 교사를 찾지 못했다.'고 평가하였다. 앞에서 말했듯이 알랭은 새로운 철학 체계화를 싫어해 과거의 철학자와 사상가의 위대한 의견의 특색을 제시하며 인간 이성의 양식으로서의 고귀함을 평가하였다. 알랭의 인생 철학은 프래그머티즘(실용주의) 사상과는 달리 '잘 판단하는 것은 선한 행위를 하는 것이다.'라며 인간은 자신이 강하게 의지함으로서 구원을 받는다는 옵티미즘(낙관주의)으로 일관된다고 생각했다. 교직에서 은퇴 후 1951년 6월 2일 사망할 때까지 집필을 계속하다 프랑스의 르베지네에서 83세에 생을 마감했다. 세계적으로 유명한 카를 힐티의 『행복론』과 더불어 알랭의 『행복론』은 양대산맥으로 인정받고 있다. 그는 다음과 같은 작품을 남겼다.

작품

Quatre-vingt-un chapitres sur l' Esprit et les Passions' (1917, '정신과 열정에 관한 81장)

le Systéme des beaux-arts(1920, 모든 예술의 세계)

Mars ou la guerre jugée(1921, '전쟁의 실체')

Esquisses de l'homme(1927, '인간론')

Les idees et les ages(1927, '사상과 나이')

Propos sur le bonheur(1928, '행복론')

Definitions(유고집 '정의(定議)'

서문

"욕망에 의해 움직이는 것에서 벗어나 자립한 자유로운 인간상"

고금동서를 통해 『행복론』이라는 이름의 책들은 많이 있지만, 알랭의 『행복론』처럼 명쾌하고 질리지 않는 책은 달리 없다. 명쾌함이란 『행복론』이라는 제목의 책들에서 종종 볼 수 있는 '달콤함'이 이 책에는 없기 때문이다. 질리지 않는다는 것은 알랭의 언어가 우리의 신체에 작용하여 훌륭한 마사지를 받듯 상쾌한 기분을 들게 해준다.

이 책의 이러한 성격은 알랭이 세기의 대표적인 데카르트주의의 한 사람이라는 사실과 관계가 있다. '데카르트주의'라고 하면 최근에는 '나쁜 근대 지식'의 화신처럼 여겨지는 일이 많지만, 그것은 지나친 의식과 이성 그리고 심신 분리에 사로잡힌 데카르트 철학의 일면에 불과하다. 알랭이 계승한 데카르트는 심신 일체, 의지의 인간 데카르트였다.

이 책에 수록된 문장들은 1906년부터 1923년 사이에 쓴 글이다. 다시 말해 제1차 세계대전과 러시아 혁명을 포함한 20세기 초였다. 이 80~90년 사이에 세계는 큰 변화를 겪었다. 사회도 많이 변하였다. 그러나 인간은 과연 얼마나 변했을까?

사회의 표면적인 변화에도 인간은 그리 쉽게 변하지 않았고 여전히 정념의 포로이자 욕망에 의해 움직이는 존재라는 것을 사회 체제의 차이를 초월하여 엿볼 수 있다. 특히 사회주의는 인간사회를 이상화시킬 이념이었지만, 인간의 약점을 파고든 관료주의와 권력욕에 의해 오히려 많은 결함만을 남겼다.

알랭이 바라본 '인간'은 한마디로 시민 사회의 인간으로 서구사회, 특히 프랑스 시민 생활의 인간이다. 그러나 이에 대한 그의 주장은 강한 보편성으로 우리에게 다가온다. 어째서일까? 정념의 포로가 되고 편견에 사로잡히거나, 욕망에 의해 움직이는 것에서 벗어나 자립한 자유로운 인간상을 제시하고 있기 때문이다.

—편집자

차례

제1장
불안과 감정에 대하여

진짜 원인을 찾아라

명마 부케팔로스(고대 역사상 실재하는 가장 유명한 알렉산더 대왕의 말. 플루타르크 영웅전에서는 '필로니쿠스라는 말 장수가 마케도니아의 왕 필리포스 2세에게 13달란트에 부케팔로스를 팔겠다고 제안했지만, 아무도 사나운 부케팔로스를 길들일 수 없었기 때문에 필리포스 2세는 그 말에 관심이 없었다. 그러나 필리포스 2세 아들 알렉산더가 자신이 그 말을 길들여 보겠다고 나섰다. 알렉산더는 만약 자신이 그 말을 길들이지 못하면 말값을 대신 내겠다고 약속했다. 그는 어루만지듯 부드럽게 부케팔로스에게 다가가서 부케팔로스를 태양 쪽으로 향하게 돌려세웠다. 그러자 부케팔로스는 더 이상 사납게 굴지 않았다. 태양을 등지고 있던 부케팔로스는 태양을 정면으로 바라보자 얌전해졌다. 자기 그림자가 부케팔로스를 흥분시킨 원인이었다. 알렉산더는 펄럭이는 망토를 벗고 말 등에 올라타서 공터를 한 바퀴 돌았다. 이렇게 부케팔로스를 성공적으로 길들일 수 있었다.')가 젊은 알렉산더 대왕에게 보내졌을 때, 어떤 마부도 이 거친 말을 길들일 수 없었다.

보통 사람이라면 "뭐 이런 말이 다 있어."라고 했을 것이다. 그러나 알렉산더는 달랐다. 무엇이 진짜 원인인지를 찾기 시작했다. 알렉산더는 이 말이 자기 그림자에 깜짝 놀라고 있다는 것을 깨달았다.

무서워서 난동을 부리면 그림자도 함께 난동을 부렸다. 말은 그 모습에 더욱 난동을 피우는 악순환이 반복된 것이다. 알렉산더는 말의 고삐를 태양으로 틀고 항상 그 상태를 유지하며 말을 안정시켜주었다.

여기서 알 수 있듯이, 아리스토텔레스(고대 그리스의 철학자: B.C. 384~B.C. 322)에게 직접 배운 알렉산더는 이미 잘 알고 있었다. 진짜 원인을 알지 못하면 감정을 조정할 수 없다는 사실을.

〈1 명마 부케팔로스〉

불안은 삼키지 말고 토해버려라

삼킨 음식이 잘못돼 기도로 넘어가면 위험 신호를 보내기라도 하듯 온몸에 큰 소동이 벌어진다.

이럴 때는 몸의 힘을 완전히 빼는 것이 좋다. 무리해서 삼키려고 하면 더 심해질 수도 있다. 기도에 들어간 것을 토해내야 한다.

이것은 마치 불안을 토해내는 것과 같다. 다른 모든 경우에서와 마찬가지로 불안감은 유해할 뿐 그 이외의 어떤 것도 아니다.

〈3 초조함〉

감정에 몸을 맡기지 마라

화를 내며 자신을 잊어버린 사람이나 기침이 나오는 대로 내버려두는 사람이나 크게 다를 것이 없다. 두 경우 다 억제할 수 없는 상황이 되어 사고가 감정에 정복되어 불안과 분노에 몸을 맡기고 있는 것과 같다.

다시 말해, 감정이 문제를 악화시키고 있는 것이다. 올바른 태도를 익히지 않는다면 이렇게 되고 만다.

올바른 태도란 이성에 의해 조정되는 신체의 동작을 말한다. 물론 모든 것을 이성적으로 제어하라는 것은 아니다. 그저 불안과 분노에 젖은 채 신체의 자연스러운 반응을 방해하는 것만은 피하라, 단지 그것뿐이다.

〈2 초조함〉

두 가지 측면을 보라

예로부터 전해 내려온 모든 암포라(Amphora: 그리스 로마 시대의 항아리로 목 부분은 원통형을 이루고 받침 부분이 안정되어 있으며, 목 부분에서 몸통에 걸쳐 세로로 2개의 손잡이가 달려 있다.)에도 손잡이가 두 개 달려 있듯이 모든 일에는 두 가지 측면이 있다. 불행을 가져다주는 면과 위로와 기운이 나게 해주는 면이 있다.

그리고 행복해지고자 하는 노력은 결코 허사가 아니다. 의지의 힘은 사람이 생각하는 것보다 훨씬 행복을 가져다주는 커다란 요인이다.

〈3 불쌍한 마리〉

슬픔은 마음의 문제가 아니라 신체의 문제

한 정신분석가는 사람의 기분이 변하는 모습을 관찰하고 분석하다가 한가지 법칙을 발견하였다. 즐거운 시간의 끝이 가까워지면 적혈구의 수가 줄어들고, 슬픈 시간의 끝 무렵에는 늘어나기 시작한다는 것이다.

슬픔이란 것이 사실 적혈구 수의 문제일 뿐이라는 것을 알게 되면 문제는 간단하다. 쓸데 없는 생각에 잠기는 것을 당장에 멈춰라. 슬픔은 마음의 문제가 아니라 신체의 문제라고 여기는 것이다. 그러면 피로나 질병과 마찬가지로 전혀 복잡할 것이 없게 된다.

배신의 아픔과 비교한다면 위통을 참는 것이 훨씬 참을만하다. 마찬가지로 '진정한 친구가 적다.'라는 것보다 '적혈구의 수가 적다.'고 생각하는 것이 낫지 않을까?

쉽게 감정적으로 되는 사람은 마음을 편하게 하는 것도, 진상을 이해하는 것도 거부한다. 하지만 내가 말한 것처럼 생각한다면 동시에 이 두 가지 문제의 해결로 이어질 것이다.

〈3 불쌍한 마리〉

과장되게 생각하지 마라

과장되게 생각하는 습관을 버리고 사실을 있는 그대로 바라보자. 당신이 지금 처해 있는 상태는 다른 사람들과 조금도 다르지 않다. 단지 당신은 불행하게도 머리가 조종하고 있다. 그 때문에 본인에게 너무 의식하여 슬프고 기쁜 이유를 알려고 한다. 그렇게 스스로 초조해지는 것이다. 왜 기뻐하거나 슬퍼하는지 잘 모르기 때문이다.

분명히 말해 두겠다. 행복과 불행의 구체적인 이유는 그다지 중요하지 않다.

모든 것은 신체와 그 작용에 달린 것이다.

〈4 신경 쇠약증〉

행복을 많이 만들어 내자

스피노자는 이렇게 말했다.

"사람은 감정을 피할 수는 있지만, 어질고 현명한 사람은 마음 속으로 행복한 생각의 영역을 넓게 확보하고 있기 때문에 비교적 감정이 보잘것없는 것이 된다."

스피노자의 복잡한 사고회로는 몰라도 된다. 단지 말하고 싶은 것은 우리가 자유롭게 행복을 많이 만들어 낼 수 있다는 것이다. 음악을 듣고, 그림을 보고, 대화를 즐기는 등의 것에서 비롯되는 행복과 비교한다면 우울한 기분 따위는 사소하게 느껴지게 된다.

〈4 신경 쇠약증〉

마음의 평온이 찾아오기를 기다려라

깊은 슬픔이란 늘 몸이 건강하지 않은 상태에서 비롯된다.

그러나 큰 병이 아니라면 고뇌는 사라진다. 그리고 이윽고 평온한 때가, 생각했던 것보다 훨씬 좋은 때가 찾아온다.

〈5 우울〉

감정과 불안은 일종의 병에 불과하다 1

우울한 사람을 보면 괴로워하는 모든 사람의 모습을 반영하고 있는 것처럼 느껴진다.

이 사람들을 보고 확실하게 알 수 있는 것이 있다.

그것은 괴로워하며 언짢아하는 것은 고뇌를 끈질기게 생각하려고 하기 때문인데, 그것은 아픈 곳을 들쑤시는 것과 마찬가지다.

이런 바보 같은 행동에서 벗어날 수 있다.

자신에게 이렇게 말하면 된다.

'슬픔은 일종의 병에 불과하기 때문에 이치와 설명을 따지지 말고 병이라 생각하고 꾹 참아라.' 그러면 더 이상 불쾌한 말을 끝없이 투덜거리지 않게 될 것이다.

〈5 우울〉

감정과 불안은 일종의 병에 불과하다 2

마음의 괴로움을 복통과 같은 것으로 생각하자. 그러면 더 이상 원망하지 않고 참으면 된다. 그렇게 평정심을 유지하고 옳은 방법으로 슬픔과 맞설 수 있게 된다. '기도'하는 이유가 바로 이 때문이다. 기도는 고뇌의 해결방법으로 매우 훌륭하다.

기도를 통해 화를 억누르는 것은 그 자체로써 하나의 성과이다. 그러나 훌륭한 판단력만으로도 마음의 평온을 스스로 만들어 낼 수 있다. 그러면 자신의 불행을 일일이 열거하지 않게 될 것이다.

〈5 우울〉

감정과 불안은 일종의 병에 불과하다 3

감정의 문제에 대하여 많은 사람이 글을 쓰고 있지만, 이 문제의 정곡을 찌른 것은 자신의 '정념론' 밖에 없다고 데카르트 본인이 당당하게 말하고 있다.

데카르트는 감정이 완전히 하나의 정신상태에 있으면서 체내 활동에 좌우되지 않는다는 것을 확실히 밝혔다. 이 활동을 우리는 전혀 깨닫지 못한 채 단지 그 결과만을 경험하고 그것을 감정 탓이라고 착각하고 있다. 그러나 실제로는 반대이다. 체내 활동이 감정을 일으키고 있는 것이다.

〈6 감정에 대하여〉

감정과 불안은 일종의 병에 불과하다 4

만약 생리학적으로 근심과 두려움에 대해서 깊이 연구한다면 이 둘 모두가 병이고 더군다나 다른 병과 결합하여 그 병을 악화시킨다는 사실을 깨닫게 될 것이다. 그러므로 의사에게서 본인이 병이라는 사실을 들은 사람은 심신이 모두 병든 것이다.

사람들은 불안이라는 병과 싸우기 위해 음식을 바꾸거나 약을 먹게 된다. 그 마음은 너무 잘 알겠지만 대체 어떤 음식이, 어떤 약이 불안이라는 병을 고쳐줄 수 있단 말인가?

〈7 계시의 종말〉

병을 흉내 내지 말고, 건강을 흉내 내자

불안한 태도는 당연히 병을 악화시키게 된다. 잠을 못 자 걱정하는 사람은 잠들 생각이 없는 것이고, 약한 위를 걱정하는 사람의 위는 소화하려 하지 않는다.

그러므로 병을 흉내 내지 말고 건강을 흉내 내면 된다. 이런 별거 아닌 머리의 체조에 대해서는 자세하게 알지는 못한다. 하지만 예의 바르고 점잖은 행동이 건강과 연관되어 있다는 것은 틀림없는 사실이다.

건강한 증거란 건강에 걸맞은 태도의 다름 아니라는 그 정의 그대로이다.

〈7 계시의 종말〉

상상력은 신체에 직접적인 영향을 끼친다

절벽에 서 있는 사람이 떨어질지도 모른다는 생각을 한다. 하지만 자신을 보호해 줄 손잡이를 잡으면 떨어질 염려가 없다고 생각할 것이다. 그런데도 현기증이 온몸을 떨게 한다. 머리끝에서 발끝까지.

상상력에 의한 영향은 늘 그렇듯이 우선 몸속에서 일어나기 마련이다.

〈8 상상력에 대하여〉

신체의 역할을 깨닫자

영혼은 항상 감정에 좌우되지 않는 숭고하고 섬세한 것이라고 여기지만, 사실은 그저 무관심할 뿐이 아닐까? 살아 있는 육체가 오히려 영혼보다 훨씬 훌륭하다.

살아 있는 육체는 사람이 온갖 생각 때문에 고통을 받기도 하고 일을 하다가 병이 걸리기도 한다. 이런저런 생각을 하지 말라는 말이 아니다. 단지, 정말 생각을 하려면 단순한 논리의 문제 이상의 것을 극복하지 않으면 안 된다. 왜냐하면 초조하게 생각해봐야 비로소 훌륭한 생각이 떠오르기 때문이다. 이 용맹한 투쟁의 상징이 인간의 육체가 책임지고 있는 역할이다.

〈8 상상력에 대하여〉

먼저 자기 자신에게 주의를 돌려라

흔히 불쾌함은 일종의 병이기 때문에 어쩔 수 없다는 말을 자주 듣는다. 매우 간단한 동작으로 고통과 번뇌에서 벗어날 수 있는 예를 소개하기로 하자.

다리에 쥐가 나면 제아무리 강한 사내라도 비명을 지르기 마련이다. 하지만 일어서서 쥐가 난 쪽의 다리에 온몸의 체중을 실으면 곧바로 좋아진다. 벌레나 먼지가 들어가 눈을 비비면 2, 3시간 정도는 꽤 번거롭지만, 손을 쓰지 않고 코끝을 응시하면 좋다. 그러면 눈물이 흘러나와 말끔히 해결된다.

나는 이 간단한 방법을 듣고 나서 20번 이상 이용할 기회가 있었다. 덕분에 분명히 말할 수 있다. 당장에 주변 사람이나 다른 대상을 탓할 것이 아니라 먼저 자기 자신에게 주의를 돌리는 것이 가장 좋다는 것이다.

〈10 아르간(Argane: 상록수 씨에서 추출한 기름은 화장품과 식용으로 사용.)〉

지나치게 걱정하지 마라

상상력은 인간 세계에 중대한 영향을 끼치고 있다. 위대한 데카르트의 『정념론』에 따르면, 걱정은 설령 그것을 잘 극복했다고 하더라도 위의 상태를 나쁘게 만들어 버린다고 한다.

깜짝 놀라 심장이 빨리 뛰는 것은 어쩔 수 없다. 의사조차도 말한마디에 심장 박동 수가 변하는데, 그 의사가 처방한 약은 과연 어떤 효과를 기대할 수 있겠는가?

나는 의사에게 무얼 바라는 지 잘 모르겠다. 하지만 위험성이 있다는 것만은 잘 알고 있다. 따라서 오히려 내 몸이라는 기계에 이상이 발생하면 이렇게 생각하는 것이 가장 의지가 된다. 심신의 부조화는 대부분은 원래 걱정하거나 불안을 느끼기 때문에 일어난다. 가장 확실한 처방은 배와 허리가 아프더라도 발가락에 물집이 잡힌 정도밖에 안된다고 생각하고 걱정하지 않는 것이다. 피부에 약간의 물집이 잡히더라도 그 정도의 고통은 실제로 일어나는 것이기 때문에 참을성을 기르는 좋은 훈련이 되지 않을까?

〈11 의학〉

불안이란 의미 없는 동요이다

병에 걸렸을지도 모른다는 불안은 실제로 그 병에 걸리면 순식간에 사라진다. 사람에게 해를 입히는 것은 언제나 상상 속의 것이다. 왜냐하면 막연한 것이기 때문이다. 추측에 대해 무얼 할 수 있겠는가?

요컨대 불안이란 무의미한 동요에 불과하다. 그것은 생각할수록 반드시 커지고 만다. 사람은 죽음을 생각하는 순간 죽음이 두려워진다. 단순히 가능성을 생각하는 사이에 자신도 모르게 모든 것이 두려워진다.

배가 아픈 것은 구체적인 대상이 없는데도 끙끙 앓으며 생각하기 때문이다.

〈15 죽음에 대하여〉

감정이 아니라 태도를 조정하라

염주는 훌륭한 발명품이다. 염주 알을 끼면 손도 머리도 마음도 어지럽지 않기 때문이다.

더 좋은 방법을 가르쳐 주겠다. 그것은 의지만으로 자신의 감정을 어떻게 할 수 없지만, 태도는 바로 조정할 수 있다는 것이다.

바이올린이라도 들고 켜기 시작하면 머릿속 감정을 털어버리려고 애쓰는 것보다 훨씬 간단하다. 이것이 바로 현인의 지혜이다.

〈16 마음가짐〉

여러모로 생각하지 마라

우리는 감정으로부터 벗어날 수가 있다. 그러나 그것은 사고에 의해서가 아니라 행동에 의해서이다.

사람은 원하는 대로 생각할 수 없다. 그러나 신체가 일단 익숙해지면 근육이 체조에 의해 단련되고 부드러워져 마음먹은 대로 행동할 수 있게 된다.

근심거리가 있을 때 곰곰히 생각하지 마라. 자신의 추리는 스스로의 목을 조르는 것에 불과하니까. 그러지 말고 팔을 높이 뻗거나 체조를 하면 좋다. 틀림없이 그 효과에 놀랄 것이다.

〈17 체조〉

상황을 확대 해석하지 마라

진짜 병에 걸렸거나 고령에 의한 육체적 노쇠는 받아들이는 수밖에 없다.

그런데(의사들은 이미 오래전부터 그 위험성을 지적하고 있지만) 병 대부분은 그렇지 않다. 병에 이름이 붙여지고 분류하기 시작한 시대부터 환자 스스로 병의 전조를 찾게 되었고, 그렇게 어이없이 자신이 병에 걸렸다고 결론을 내리고 만다. 상황을 확대하여 해석하는 이러한 과정에 거의 모든 원인이 있다. 감정도, 상당히 많은 병도, 특히 정신적인 병은 더욱 그렇다.

유명한 신경 병리학자 샤르코(Jean Martin Charcot: 프랑스의 신경 병리학자.)는 환자가 자신의 증상에 대하여 이야기해도 절대 믿지 않기로 했다. 의사가 믿어주지 않은 덕분에 어떤 종류의 병은 더 이상 병이 아니게 되어 거의 사라지게 된 경험은 누구에게나 있다.

〈21 성격에 대하여〉

행동을 바탕으로 생각하라

상상력은 강력하다. 가늠하기 불가능한 상태의 중대성과 인간의 나약함에 대해 상상하기 시작하면 아무것도 할 수 없게 된다.

그렇기 때문에 행동하라. 행동으로 옮기고 생각해야 마땅하다.

〈27 느릅나무〉

상상력이 아니라 행동을 따르라

'지금'이라는 시간은 강력하여 끝없이 발랄하다. 그래서 우리는 확신을 하고 '지금'에 순응하고 있는 것이다. 모두가 경험하고 있는 것인데도 아무도 그렇게 생각하지 않는다.

상상력은 습관에서 벗어나지 못하기 때문에 인간 세계를 좌우한다. 그러나 상상력은 무엇이든 만들어 낼 수 있다. 무언가를 만들어 내는 것은 행동이다. 이 점을 잘 이해하지 않으면 안 된다.

〈30 잊는 것의 효과〉

몸을 움직여 기분전환을 하라

마음에 새겨라. 사람은 의지로서 기분을 감추지만, 체조 선수처럼 몸을 움직여 기분전환 하도록 의지를 조정하면 된다.

불쾌함, 슬픔, 따분함 등은 비바람처럼 피할 수 없다. 생각은 언뜻 보기에 맞는 것 같지만 실제로는 틀린 것이다.

〈36 사생활에 대하여〉

멀리 바라보라 1

풀이 죽어 있는 사람에게 하고 싶은 말은 단 하나이다. '멀리 바라보라.'

이런 사람은 대부분 지나치게 책을 많이 읽은 사람이다. 인간의 눈은 그렇게 가까운 곳에 초점을 맞추게 되어 있지 않다. 그러므로 허공을 응시하면 편안해진다.

밤하늘의 별을 바라 볼 때, 혹은 끝없이 펼쳐진 망망대해를 바라 볼 때 눈의 긴장감은 완전히 풀린다. 눈의 긴장이 풀리면 마음도 해방돼 발걸음에도 자신감이 넘친다. 자신의 내부 모두(장기까지도)가 풀어지며 부드러워진다.

그렇다고 해서 의지의 힘으로 억지로 긴장을 풀려고 해서는 안 된다. 자신의 내면에 있는 의지력을 자기 자신에게 향하게 하면 모든 균형이 깨지고 결국에는 몸을 움직일 수 없게 된다. 자기 자신을 생각해서는 안 된다. 멀리 바라보라.

〈51 멀리 바라보라〉

멀리 바라보라 2

인간의 눈은 먼 곳을 바라보면 편안해지게 되어 있다. 이것은 우리에게 심원의 진실을 가르쳐주고 있다.

사고는 신체를 자유롭게 하고, 그 신체를 우리의 진정한 고향인 우주로 인도하지 않으면 안 된다. 인간의 둘도 없는 숙명과 인체의 작용 사이에는 깊은 연관성이 있는 것이다.

〈51 멀리 바라보라〉

멀리 바라보라 3

필요한 것은 지각(知覺)하는 것과 외부를 향해 전개해 나가는 것이다.

한가지를 통해 다른 것과 참된 관계를 알게 되면 다른 것으로, 다시 무수히 많은 것으로 이어져 간다. 그리고 이 열기를 타고 바람으로, 구름으로, 행성으로 생각이 펼쳐져 나간다.

진정한 학문은 지금 눈앞에 있는 작은 것만으로 끝나지 않는다. 안다고 하는 것은 '아무리 작은 것도 전체와 이어져 있다.' 는 것을 이해하는 것.

다시 말해, 어떤 것이든 간에 그 자체로 존재가 완결된 것은 없다. 이 때문에 우리는 자기 스스로 의식을 딴 데로 돌릴 수 있다.

〈51 멀리 바라보라〉

감정에 속지 마라

눈물이 날 것 같거나, 위와 심장과 배의 상태가 나쁘거나, 혹은 이유도 없이 근육의 수축으로 인해 점점 우리의 논리적 사고에 지장을 초래하게 된다. 사람은 순식간에 감정에 속게 된다. 그리고 단순한 사람일수록 매번 감정에 속고 만다.

우리는 이런 장난스러운 신호가 시간이 흐르면서 사라진다는 것을 알고 있다. 나는 그것을 바로 지워버리려 하고, 실제로도 지워버릴 수 있다. 과장되게 말하지만 않으면 되는 것이다.

나는 자신의 내면의 목소리가 자신에게 어떤 영향을 미치는지를 스스로 잘 알고 있다. 때문에 스스로에게 과장된 비극 배우와 같은 태도가 아니라 온화하게 말을 거는 것이다.

〈54 과장된 열변〉

불만에 분출구를 제공하지 마라

병이나 죽음은 누구에게나 일어나는 자연스러운 일이고 그것을 거스르려고 하는 것은 인간답지 않은 어리석은 생각이다.

왜냐하면 정말로 인간다운 생각이라면 인간의 당연한 도리, 모든 현상의 자연스러운 흐름에는 어떤 형태로든 반드시 부합되어야 하기 때문이다. 이것만으로도 불만에 무심코 분출구를 제공해서는 안 된다는 충분한 이유가 된다. 불만은 화를 조장하고 화에 의해 다시 조장된다. 지옥의 연속이 될 뿐이다. 그러나 그곳의 악마는 다름 아닌 바로 자신이고 화를 분출하는 것 또한 자신이다.

〈54 과장된 열변〉

슬픔에 저항하라

기쁨은 권위적이지 않다. 발랄하기 때문이다. 반면에 슬픔은 사람의 마음속에서 왕좌를 차지하고 있다. 언제나 과분한 숭배를 받는 것이다.

내가 말하고자 하는 것은 슬픔에 저항하지 않으면 안 된다는 것이다. 그것은 기쁨이 좋은 것이라는 이유뿐만이 아니라(그 또한 이유의 하나라고 할 수 있지만) 모든 것은 공평하게 보지 않으면 안되기 때문이다.

슬픔은 언제나 수다스럽고 태도도 거만하다. 이 때문에 우리는 공평한 견해를 갖는 것이 매우 힘들다.

〈55 넋두리〉

감정의 설득력에 현혹되지 마라

우리는 항상 감정의 설득력에 현혹되고 만다.

감정의 설득력이란 몸이 피곤한지 아닌지, 흥분상태인지 아닌지와 같이 자신의 상태에 따라 머릿속에서 퍼져나간다. 슬픔과 기쁨, 우울한 기분 등과 같은 온갖 환영을 말한다.

그리고 우리는 당연하다는 듯이 이런 환영에 현혹되어 모든 것을 상황이나 남의 탓으로 돌려버린다. 진짜 원인—그것은 대부분 보잘것없는 것, 아무래도 상관없는 것이지만—이 무엇인지 꿰뚫어 보고 고치려 하지 않는다.

〈55 넋두리〉

감정의 감언에 속지 마라

상상력에 의해 머릿속에서 만들어낸 고민과 감정은 항상 의심해야 한다. 감정이 교묘하게 자신을 꿰고 있다는 것을 깨닫고 감언이설에 속지 말아야 한다. 그러면 고민 대부분은 당장에 사라지게 될 것이다.

설령 머리가 조금 아프거나 눈이 피곤하더라도 참을 수 있고 시간이 지나면 나아지게 된다. 반면에 절망은 끔찍한 것으로 끝없이 악화할 뿐이다. 이것이 바로 감정의 덫이다.

〈56 감정의 설득력〉

자신을 그냥 비극 배우라고 생각하라

"배신자, 친구인 척하면서 줄곧 나를 경멸하고 있었어."

이렇게 말하는 대신에 이렇게 말하라.

"지금은 동요하고 있어 제대로 생각하고 바른 판단을 할 수 없어. 나는 혼자 대사를 읊고 있는 비극 배우에 불과하다."

그러면 관객이 없으니 극장의 불빛은 꺼질 것이다. 훌륭한 무대 장식도 두꺼운 종이에 그린 그림에 불과하게 될 것이다.

이것이야말로 진정한 지혜이자 사악한 감정으로부터 자신을 지키는 진정한 방어수단인 것이다.

〈56 감정의 설득력〉

시간의 길은 되돌릴 수도, 다시 지날 수도 없다

감정의 충동에는 반드시 돌이킬 수 없는 것에 대하여 저항하는 무언가가 있는 듯하다.

예를 들어 덜렁거리는 여자, 교만한 여자, 냉담한 여자를 좋아하는 남자가 괴로워하는 것은 그녀가 그렇지 않기를 바라는 마음을 계속 품고 있기 때문이다.

이와 마찬가지로 파멸을 피할 수 없는 상황이라는 것을 본인도 잘 알고 있으면서도 감정적으로 계속 기대하고, 더군다나 어떤 의미에서는 사고에 명령까지 한다. 지금까지 걸어온 길을 다시 한번 살펴보고 어디 다른 길이 없는지 찾고 있는 것처럼.

그러나 그 길은 이미 지나온 길이고, 지금 있는 곳이 자신이 있는 곳이다. 시간의 길은 되돌릴 수도, 다시 지날 수도 없는 것이다.

〈57 절망에 대하여〉

슬픔의 날개를 잘라버려라

땅이 항상 이런저런 문제를 품고 괴로워하더라도, 하늘에는 언제나 구름 한 점 없다.

그리고 우리는 항상 생각에 잠기기 때문에 슬픔이란 날개가 달리며 하늘 높이 솟아오르는 한탄으로 바뀌고 만다.

그런 날개는 잘라버려라. 그러면 슬픔은 바닥으로 가라앉는 수밖에 없다. 아직은 발밑에 존재하고 있겠지만 눈앞에서는 사라질 것이다.

그러나 안타깝게도 인간은 언제나 하늘 높이 날아오를 것 같은 슬픔을 원하는 존재다.

〈57 절망에 대하여〉

슬픔을 존중하지 마라

죽음이 아니라 삶을 말하고, 불안이 아니라 희망을 퍼뜨리고, 인류에게 있어서 더없이 소중한 보물인 기쁨을 키워야 한다. 그것이 위대한 현인들이 전해온 비결이자 내일을 향한 희망의 빛이다.

'감정이란 슬픈 것, 증오란 슬픈 것, 기쁨은 감정과 증오를 사라지게 한다.' 스스로 이렇게 다짐하는 것에서부터 시작하자. '슬픔은 결코 숭고한 것도, 아름다운 것도, 유용한 것도 아니다.'

〈58 동정에 대하여〉

슬픔도 한숨도 금방 사라진다

슬픔도 한숨도 마치 새처럼 살며시 왔다가 훌쩍 사라지는 것.

그러나 사람 대부분은 이 사실을 인정하려 하지 않는다. 몽테스키외(Carles de Montesquieu: 1689~1755, 프랑스의 사상가 · 정치 철학자)처럼.

"나는 한 시간 독서를 하면 어떤 슬픔도 사라져버린다."라고 말하는 것은 부끄러운 일이다.

하지만 차분히 책을 읽고 있으면 자신이 읽고 있는 세계에 완전히 빠져버리는 것은 분명한 사실이다.

〈60 위안〉

스스로를 위로하는 노력을 하라

나락에 빠진 듯이 스스로 불행에 빠져드는 것보다는 자신을 위로하려 노력하는 것이 낫다. 진지하게 노력하면 생각했던 것보다 훨씬 빨리 기운을 차리게 될 것이다.

〈62 낙천적인 인간〉

감정에 치우치지 마라 1

모든 감정은 스스로 불러내기 때문에 응하여 나타나는 것이다. 일단 감정에 사로잡히면 아무리 위대한 논리도 전혀 도움이 되지 않고 오히려 방해되는 경우가 많다. 분노를 자극하는 모든 가능성을 떠올리기 때문이다.

이 사실을 깨달으면 전쟁의 두려움이 영원히 사라지지는 않지만 반드시 피할 수 있다는 것을 알게 된다. 만약 감정에 사로잡혀 두려워하고 그것이 퍼지면 아무리 작은 이유라도 반드시 전쟁으로 이어지고 만다. 감정에 치우치지 않는다면 어떤 이유든 반드시 전쟁은 피할 수 있다.

〈64 감정의 폭주〉

감정에 치우치지 마라 2

정말로 끔찍한 것은 감정에 치우치는 것이다.

이것은 사람이라면 누구나 자신의 마음속에서 거칠게 몰아치는 폭풍우를 억제하거나 자유자재로 조종할 수 있는 능력이 있다. 그것은 가늠할 수 없는 능력이다. 우리는 이 능력을 발휘하는 방법을 배워 익혀야 한다.

제일 먼저 행복해질 것. 현인들의 말처럼 행복은 평화의 산물이 아니고, 행복은 평화 그 자체이기 때문이다.

〈64 감정의 폭주〉

상황에 맞는 행동을 하라

어떤 경우라도 그 상황과 장소에 견주어 걸맞은 행동을 스스로 만들어야 할 필요가 있다.

잠 못 이루는 사람은 잠자는 흉내를 내면 된다. 편안하게 쉬고 싶다면 만족스럽게 쉬는 흉내를 내면 된다. 그런데도 인간은 정반대로 초조해하며 불안을 감추지 않고 분노를 표출하고 있다. 이것이 바로 우쭐한 착각의 원인이다. 그리고 착각은 반드시 엄중한 벌을 받고 만다.

〈85 명의 플라톤〉

철저하게 생각하거나, 전혀 생각하지 않거나

생각 그 자체가 몸을 괴롭히는 것이 아니라 자신의 마음이 동요하기 때문에 초조해하는 것이다. 이것은 온몸이 이완되어 나른해져 있는 지복(至福)의 상태를 보면 잘 알 수 있다. 그 상태는 언제까지 지속하지 않기 때문에 그런 상태에서는 금방 잠에 빠져든다.

따라서 깊은 잠을 자는 가장 좋은 요령은 어정쩡하게 생각에 잠기지 않는 것이다. 철저하게 생각하거나, 전혀 생각하지 않거나 둘 중의 하나이다. 이 과감한 결단을 조절할 수 없는 어정쩡한 생각은 몽환적 단계로 떨어져 육신의 괴로움이 없는 편안한 꿈의 세계로 들어갈 준비를 하게 한다.

반대로 공상의 세계로 통하는 문의 열쇠는 인간을 모든 것에 집착하게 만든다. 이것이야말로 불행에 이르는 열쇠이다.

〈93 맹서하지 않으면 안 된다〉

제 2 장
자기 자신에 대하여

웃는 얼굴로 있자

싱글벙글 웃는다고 달라지는 것도 없고, 기분이 변하지 않을 것 같다고 생각하기 때문에 방긋이 웃어보려고도 하지 않는다.

하지만 어쩔 수 없이 예의상 웃음을 짓고 정중하게 인사를 하는 예의 덕분에 모든 것이 바뀌는 경우가 많다. 생리학자는 그 이유를 잘 알고 있다. 웃는 얼굴은 하품과 마찬가지로 몸속 깊숙이 퍼져 목, 폐, 심장 순서로 차츰 긴장을 완화시켜 준다.

이렇게 바로 효과가 있으니 이보다 더 훌륭하고 잘 듣는 약을 찾는 것은 의사라도 어려울 것이다.

〈10 아르간〉

예의 바르게 행동하라

기분 좋게 행동할 수 있을지는 사리 분별과 이성의 문제가 아니다. 분별력은 전혀 도움이 되지 않는다. 태도를 바꾸고 몸을 움직이고 예의 바르게 행동할 필요가 있다.

왜냐하면 사람의 움직임을 조절하는 근육은 인간이 스스로 조정할 수 있는 유일한 기관이기 때문이다. 빙긋이 웃거나 어깨를 움츠리는 것은 걱정거리에 대한 상투적인 수단이다. 이처럼 작고 간단한 움직임으로 혈액의 흐름이 금방 좋아진다. 우리는 자유롭게 기지개를 켜고 하품을 할 수 있다. 이것은 근심거리나 초조할 때 가장 효과적인 운동이다.

성급한 사람은 별거 아닌 이 동작을 생각조차 하지 못하고, 불면증에 시달리는 사람은 잠든 척하는 것을 생각조차 하지 못한다. 반대로 언짢은 기분은 언짢다는 것을 잘 알고 있기 때문에 언제까지나 그 상태가 지속된다.

사람은 스스로 잘 조정할 수 없기 때문에 예의 바름에 의존하는 것이다. 다시 말해 억지로라도 빙긋이 웃어야 하는 상황을 스스로 만드는 것이다. 그 때문에 아무래도 상관이 없는 사람들과의 관계가 환영받는 것이다.

〈12 미소〉

행복을 연기하라

예의 바르게 행동한다는 것은 우리의 사고에 강한 영향을 주는 힘이다. 상냥함, 친절, 행복을 연기하는 것도 언짢은 마음을 몰아내는 데 큰 효과가 있고 복통에까지 효과가 있다.

그와 동반되는 부드러운 태도와 미소는 그와 반대되는 동작 즉 심한 분노와 반발심, 슬픔을 드러내는 행동을 할 여지를 주지 않는 장점이다.

따라서 사회활동과 대화, 행사, 파티와 같은 것이 환영을 받는 것이다. 그것은 행복을 연기할 기회이고 이러한 희극 덕분에 비극으로부터 확실하게 벗어날 수 있다. 이 작용은 가볍게 여길 수 없다.

〈16 마음가짐〉

한 번에 두 가지 태도를 취할 수는 없다

사람의 몸은 한 번에 서로 다른 두 가지 태도를 보일 수 없게 되어 있다.

예를 들어 손은 펴져 있거나, 주먹을 쥐고 있거나, 둘 중의 하나이다. 손을 펼치면 쥐고 있던 주먹 속에 가두고 있던 화 난 일들은 모두 해방된다. 아니면 어깨의 힘을 뺀다. 이것만으로도 가슴속에 품고 있던 근심거리는 저절로 풀어진다.

마시는 것과 뱉는 행동은 동시에 불가능하다. 그것과 마찬가지 이치이다.

〈17 체조〉

몸짓에는 감정이 드러난다

입을 크게 벌리고 내뱉는 '이'가 어떻게 들릴지는 상상할 수 없다. 직접 해보면 알 수 있듯이 소리를 내지 않고 머릿속에서만 있는 이 '이'라는 소리는 '아'와 같은 소리가 된다.

신체 운동기관 나이는 이처럼 생각과 전혀 다른 작용을 하고, 상상력은 별로 도움이 되지 않는다는 것을 알 수 있다. 이 연관성이 여실히 드러나는 것이 몸짓이다. 몸짓에는 일시적인 감정 모두 드러나기 마련이다.

〈18 기도〉

하품을 하자 1

하품은 피곤한 증거가 아니다. 내장 구석구석까지 공기를 보내는 이 동작은 곧 당신의 신체가 '신경을 쓰고 논쟁하는 건 더 이상 싫어.' 라고 말하고 있는 것이다.

이 활발한 개선작업을 통해 자연적인 현상으로 나타나는 것이다. 살아 있는 것만으로도 충분하며 더 이상 생각하는 것은 싫다는 의미이다.

〈19 하품의 기술〉

하품을 하자 2

하품은 초조함과 따분함과 같은 일상 속의 전염성이 있는 행위에 대한(그 역시 전염성이 있는) 대처방법이다.

하품이 질병처럼 사람에서 사람에게로 전염되는 것을 이상하게 생각하는 사람이 있다. 내 생각에는 질병처럼 전염되는 것은 오히려 심각함과 신중함, 근심 어린 태도이다.

반대로 하품은 생명의 외침, 다시 말해 건강을 회복시키는 것으로 심각한 상황으로 이어지는 것에 대한 거절 반응이다. 쉽게 말하자면 무감각해지겠다고 선언하고 있는 것과 마찬가지다. 그것은 모두가 바라던 신호, 대열의 해산 신호와 같은 것이다. 이 편안한 느낌은 억제할 방법이 없다.

아무리 심각한 상황이라도 최종적으로는 하품에 이르기 마련이다.

〈19 하품의 기술〉

변명을 하지 마라

자신 이외의 것에서 변명을 찾는 사람이 행복한 것을 본 적이 없다. 반면에 자신의 실패를 바로 인정하고 '정말 어리석었어.' 라고 말할 수 있는 사람은 그 경험을 자신의 것으로 삼아 씩씩하고 행복해질 수 있다.

〈26 헤라클레스〉

밝은 사고방식을 하라

경험에는 두 가지 것이 있다. 기분이 울적해지는 것과 기분이 밝아지는 것이 그것이다. 사냥꾼 중에 밝은 사람과 한탄만 하는 사람이 있는 것과 마찬가지다.

한탄만 하는 사냥꾼은 토끼를 놓치고 이렇게 말한다.

"왜 만날 나만 이런 거야!"

밝은 성격의 사냥꾼이라면 재빠른 토끼에게 감탄한다. 처음부터 사람에게 잡히기 위해 펄쩍 뛰어나올 토끼는 없다는 것을 잘 알고 있기 때문이다.

〈26 헤라클레스〉

바라지만 말고 결심하라

수단이 충분하면서도 자신의 발자취를 크게 남기지 못한 사람들이 있다. 과연 이 사람들의 바람은 무엇이었을까?

지금 상태로 있는 것? 틀림없이 그 상태였다.

아첨하지 않는 것? 틀림없이 아첨하지 않았고 지금도 여전히 변함이 없다.

판단하거나, 조언하거나, 거절하는 것? 틀림없이 그렇게 하고 있다.

돈이 없다고? 하지만 항상 돈을 경멸하지 않았던가!

돈이란 녀석은 자신에게 경의를 표하고 받아주는 사람에게로 가기 마련이다. 부자가 되고 싶다는 생각을 품고, 무슨 짓을 해서라도 그렇게 되지 않을 사람이 한 사람이라도 있었단 말인가. 그렇게 되고자 결심한 사람 중에서 말이다. 단지 바라는 것과 결심하는 것은 별개의 문제인 것이다.

〈29 운명에 대하여〉

유연성을 잃지 마라 1

감정은 고집스러운 부분이 있다. 그중에서도 가장 큰 착각은 아마도 우리가 그것을 습관이라고 확신하는 것일 것이다.

치즈를 싫어하는 사람은 전혀 먹어 볼 생각을 하지 않는다. 입맛에 맞을 리가 없다고 생각하기 때문이다. 독신 남성 중에는 결혼은 상상조차 할 수 없는 일이라고 생각하는 사람이 많다. 포기란 맹목적인 확신이다. 그것은 굳은 신념으로 이어져 유연성이 전혀 뿌리를 내리지 못하게 하는 것이다.

〈30 잊는 것의 효과〉

유연성을 잃지 마라 2

잘못된 확신은 매우 자연스러운 것이라고 생각한다. 사람은 자신에게 없는 것을 제대로 판단할 수 없기 때문이다.

술을 마시는 동안에는 금주에 대해 생각조차 하지 못한다. 술을 마시는 행위 그 자체가 생각을 떨쳐버린다. 그러나 술을 마시지 않는 순간 술을 마시지 않는다는 행위 그 자체로 과음을 하지 않게 된다.

이것은 슬픔과 도박에서도, 그 어떤 상황에서도 마찬가지이다.

〈30 잊는 것의 효과〉

자신에 대하여 지나치게 생각하지 마라

헤겔은 이런 말을 했다.

"있는 그대로의 정신은 늘 근심에 싸여 있어 항상 비탄에 빠져 있다."

나는 이 특유의 심오함에 감동하였다.

자신에 대하여 온갖 생각을 하더라도 아무런 도움도 되지 않는 것은 물론이고 위험한 줄타기를 하는 것과 같다. 자문해 봐도 결론은 이해할 수 없는 대답뿐이다. 따분함, 슬픔, 근심, 초조함 등은 아무리 생각해도 맴돌아 제자리로 돌아올 뿐이다.

〈36 사생활에 대하여〉

진짜 감정은 스스로 만들어 낸다

진정한 예의 바름이란 무엇을 해야 할지 스스로 느끼는 것이다. 우리는 정중하고, 조심하고, 예의 바르고자 한다. 그것은 그런 태도를 보여야 한다고 스스로 느끼기 때문이다.

그중에서도 특히 예의 바름에 대하여 생각해 보자. 감정과 동반되는 일시적인 충동이 있더라도 그것을 극복하여 곧바로 옳은 행동으로 되돌아가는 것은 도둑에게는 불가능한 것으로 성실함이 몸에 밴 사람만의 특징이다. 그것은 거짓된 성의가 아니다.

이것을 사랑에 적용해 보면 어떨까? 사랑은 자연스러운 것이 아니며 욕망 또한 오래 지속하지 않는다. 그러므로 진정한 감정은 스스로 만들어 내는 것이다.

〈36 사생활에 대하여〉

의지력이 있고, 그다음에 아름다움이 있다

음악은 모든 것 중에서 가장 훌륭한 예다, 음악에 있어서는.

예를 들어 성악의 경우에서도 의지력이 있어야 비로소 긴 울림을 지속할 수 있기 때문이다. 그다음에 비로소 아름다움을 느낄 수 있다.

〈36 사생활에 대하여〉

즐기기

'진정한 음악가란 음악을 즐기는 사람이고, 진정한 정치가란 정치를 즐기는 사람을 말한다. 그리고 즐기는 능력이 있다는 증거이기도 하다.' 이 말은 아리스토텔레스에 의한 놀라운 통찰이다.

무엇을 하든지 진정한 향상은 그것에서 얼마만큼 즐거움을 얻을 수 있는 가로 가늠할 수 있다.

〈47 아리스토텔레스〉

말의 힘을 깔보지 마라

말은 그 자체로 가늠하기 어려운 힘을 가지고 있다. 슬픔을 부추기고 확대함으로써 모든 것을 우울한 기분으로 완전히 덮어버릴 수 있다. 그리고 그렇게 슬퍼한 결과는 더 큰 슬픔의 원인이 된다. 놀이 상대에게 사자나 곰의 모습을 하고 어린아이에게 보게 하면 그 상대가 정말로 무서워지는 것과 마찬가지다.

〈55 넋두리〉

스스로에게 속지 마라

흔히 있는 일로, 가장 현명한 사람이 가장 자신에게 속기 쉽다.
스스로 능변에 능통해 있고 분별력이 있다고 여기기 때문이다.

〈55 넋두리〉

끝나버린 일로 후회하지 마라

의지가 강한 사람이란 자신이 지금 어디에 있고 현실이 어떤지, 돌이킬 수 없는 것이 무엇인지를 스스로 다짐하고 미래를 향해 출발하는 사람이다.

하지만 이것은 쉬운 일이 아니기 때문에 먼저 작은 것부터 훈련해야 할 필요가 있다. 끝나 버린 일 때문에 생각하고 슬퍼하는 것은 아무런 도움도 되지 않고 오히려 해가 될 뿐이다. 헛되이 생각에 잠기고, 헛된 추구를 하게 될 뿐이니까.

스피노자는 '후회하는 것 또한 죄다.' 라고 말했다.

〈57 절망에 대하여〉

자기 자신의 좋은 벗이 되라

불만과 푸념을 늘어놓아도 소용이 없고, 슬픔에서는 슬픔밖에 싹트지 않는다. 왜냐하면 운명에 대하여 불평하는 것은 자신의 불운을 스스로 키우는 것이고, 웃을 수 있는 소망조차 스스로 빼앗아 위의 상태까지 나쁘게 하기 때문이다.

만약 친구가 어떤 불평불만을 늘어놓는다면, 당신은 아마도 상대를 위로하며 다른 생각을 가질 수 있게 노력하지 않겠는가?

그런데 어째서 그와 마찬가지로 본인에 대해서는 좋은 친구가 되어주지 못하는가? 진심으로 자신을 소중히 여기고 자신에게 친절하지 않으면 안 된다.

〈63 빗속에서〉

낙관주의를 유지하라

분노와 비관이야말로 제일 먼저 극복해야 할 적이다. 믿고, 기대하고, 미소 지으며 노력하지 않으면 안 된다.

지금의 인간 현상을 생각해 볼 때, 만약 낙관주의를 마지막까지 유지하는 것을 주요 규범으로 삼지 않는다면 최악의 비관주의가 당장에 현실의 것이 되어버릴 테니까.

〈69 매듭을 풀다〉

기쁨은 건강으로 이어진다 1

기분이 한결같다고 해서 평소 남에게 칭찬받지는 못한다. 하지만 반드시 본인의 건강으로 이어진다.

기쁨은 내장의 상태가 좋다는 확실한 증거이기 때문에 기쁨으로 이어지는 생각은 모두 건강으로 이어질 것임에 틀림없다.

〈86 건강의 요령〉

기쁨은 건강으로 이어진다 2

기쁨은 그 어떤 명의보다도 신체를 건강하게 한다. 병에 대한 불안은 항상 건강 악화로 이어지지만, 그 불안을 사라지게 해준다.

흔히 말하듯이 만약 죽음이 신의 자비라는 생각을 하는 은둔자가 정말로 있고, 그가 100살까지 장수했다고 하더라도 나는 놀라지 않는다. 어떤 것에도 흥미가 없는 노인이 장수하는 것을 보고 사람들은 감복하지만, 그것은 아마도 죽음에 대한 불안이 전혀 없기 때문일 것이다.

이러한 것들을 이해한다면 틀림없이 도움이 될 것이다. 말에서 떨어지지 않을까 하는 두려움이 몸을 굳게 하는 것과 같은 이치다. 때로는 무감각이 뛰어난 효과가 있는 작전이 되기도 한다.

〈86 건강의 요령〉

제3장
인생에 대하여

현재의 상황을 새로운 관점에서 바라보라 1

현재의 사실에는 그것이 아무리 불편하더라도 좋은 부분이 있다. 사실은 가능성의 승부로 결론이 난다. 다시 말해 '앞으로 일어날 일'이 더 이상 아닌 것이다. 그렇기 때문에 새로운 미래를 새로운 관점으로 볼 수 있게 해준다.

병에 걸린 사람이 바라는 것은 그리 대단한 것이 아니라, 그냥 보통의 상태다. 병이 들기 전이였다면 아마도 슬픔의 상태였겠지만, 그것을 마치 대단한 행복처럼 여기게 된다.

〈9 사고방식의 문제〉

현재의 상황을 새로운 관점에서 바라보라 2

나이를 먹어 기운이 없는 사람과 술 때문에 폐인같은 상태가 된 친구를 만나면 마음이 아프다. 그들의 현재 있는 그대로의 모습을 보면서 동시에 과거의 모습을 상상하려 하기 때문이다.

자연의 흐름은 멈출 수가 없지만, 다행스럽게도 그 변화를 취소할 수도 없다. 새로운 상태가 탄생할 때마다 다음 상태가 다시 가능해진다. 그러므로 당신이 한곳에 집중하고 있는 고민거리는 모두 이 시간의 흐름에 따라 분산된다.

다음 순간을 탄생시키는 것은 다름 아닌 지금의 역경이다.

〈9 사고방식의 문제〉

눈앞의 현실에 집중하라

노인이란 나이를 먹어 괴로워하고 있는 젊은이가 아니고, 사람이 죽는다고 하는 것은 살아 있는 사람이 죽음의 세계로 들어가는 것도 아니다. 죽음에 대하여 비통할 수 있는 것은 살아 있는 사람뿐이고, 불행의 가감을 운운할 수 있는 것도 행복한 사람뿐이다.

사실 사람은 자신의 문제보다는 타인의 문제에 대하여 더 신경을 쓴다. 그것을 기망(祈望)하는 것은 아니지만, 그 결과 인생에 대한 그릇된 견해를 지니게 되고 조심하지 않으면 인생을 허사로 만들 수도 있다.

가지고 있는 모든 지혜와 힘을 다하여 눈앞의 현실에 집중해야 한다. 비극을 흉내 내고 있을 때가 아니다.

〈9 사고방식의 문제〉

즐거운 마음으로 살자

추위에 지지 않는 단 한가지 방법은 추위를 즐기는 것이다. 만족의 달인인 스피노자는 자주 이렇게 말했다.

"몸이 따뜻해져서 기쁜 것이 아니라, 기쁜 마음을 가지고 있기 때문에 몸이 따뜻해지는 것이다."

그렇다면 자신에게 이렇게 말해주어라.

"일이 잘 풀렸기 때문에 즐거운 것이 아니라, 즐거운 마음을 가졌기 때문에 일이 잘 풀린 것이다."

만약 그대가 기쁨을 찾아 방황한다면, 그때는 반드시 기쁨을 충분히 챙겨 가는 것이 좋다.

〈20 언짢음〉

과거에 의지하지 마라

"아아, 과거에 열심히 공부했더라면…."

이것은 게으른 자의 변명이다. 이렇게 생각한다면 공부하면 되는 일이다. 공부한 적이 있더라도 배움을 포기해 버렸다면 그다지 훌륭한 일은 아니다. 과거에 의지하는 것은 과거에 대하여 불만을 토로하는 것과 같다. 어리석은 짓이다. 이미 지나가 버린 것은 계속 그 영광에 안주하고 있어도 될 만큼 훌륭한 것도 아니고 만회할 수 없을 정도로 심한 것도 아니다.

기회를 살리겠다고 마음먹었다면 불행한 상황에 있을 때보다는 행복한 상황에 있을 때가 더 어렵게 느껴질 정도이다.

〈22 숙명〉

의지의 힘을 발휘하라

내가 미켈란젤로와 같은 인물을 훌륭하다고 여기는 것은 그런 천부적인 재능을 타고 났으면서도 안락한 인생을 일부러 어렵게 만드는 강렬한 의지이다.

이 인물은 자신에게 전혀 만족하지 않고 무언가를 배우기 위해 다시 학교에 들어갔다. 그때는 이미 머리카락이 백발이었다고 한다. 이것이 우유부단한 사람에게 가르쳐주는 것은 그것이 언제든 현재가 의지의 힘을 발휘할 순간이라는 것이다.

〈22 숙명〉

먼 미래를 생각하지 말고 눈앞의 것만을 보라

플라톤이 말한 우화 중에 죽은 자의 나라에서 돌아온 에르가 있다. 이 우화에 따르면 가장 혹독한 시련이 이러하다. 대초원으로 끌려간 영혼은 그곳에서 운명이 들어 있는 자루 몇 개가 눈앞에 놓여 있고, 그중에 하나를 선택해야 한다. 영혼은 자신이 살아 있을 때의 기억이 아직 남아 있기 때문에 살아 있을 때의 소망과 아쉬움에 따라 선택한다.

돈을 가장 원했던 사람의 영혼은 돈이 가득 찬 운명의 자루를 원한다. 욕정에 사로잡혀 있던 사람의 영혼은 쾌락이 가득한 자루를, 야심가였던 사람의 영혼은 왕이 될 운명의 자루를 찾는다.

다시 말해 각자 맘에 드는 새로운 운명의 자루를 찾아 짊어지고 떠난 뒤 망각의 강 레테의 강물을 마시고 다시 인간세계로 향하게 된다. 자신이 선택한 운명을 살기 위해.

야심으로 가득 찬 자루를 선택한 사람은 자신이 비열한 추종, 원한, 부정을 고를 생각은 전혀 없었다. 그러나 자루 안에는 그런 것들도 함께 들어 있었다. 〈31 대초원에서〉

자신의 행복을 위해 노력하라

자기 일과 이력을 위해서라면 모두가 각자의 방식으로 노력한다. 그러나 대부분의 사람은 집에서 자신의 행복을 위해 아무런 노력도 하지 않는다.

〈36 사생활에 대하여〉

쓸데없이 속도를 추구하지 마라

열차의 속도가 느리다는 이유로 초조해하는 승객이 있다.

그러나 우습게도 그는 자신이 출발하기 전(혹은 내린 뒤에라도), 이 신형 열차가 지금까지의 열차보다 15분이나 일찍 도착한다는 것을 사람들에게 설명하는 데 이 15분을 소비하는 것을 아깝게 여기지 않는다.

누구나 하루 중에 적어도 15분 정도는 이와 비슷한 이야기를 하거나, 카드놀이를 하거나, 멍하니 있다. 그 정도의 시간을 어째서 열차를 탄 채 가만히 보내지 못한다는 말인가?

〈39 스피드〉

창밖 풍경을 바라보라

열차 안에서처럼 행복을 느끼게 해주는 것은 없다. 급행열차라면 더욱 그렇다. 아름다운 풍경들이 속속 페이지를 넘기며 펼쳐진다. 게다가 계절과 날씨에 따라 매일 바뀐다. 이에 견줄 풍경이 또 있을까?

〈39 스피드〉

모든 가능성을 생각하고 결정하라

사람이 행복을 느끼는 것은 결정할 때와 생각해 낼 때이다. 이것은 카드놀이를 할 때 보면 잘 알 수 있다. 모든 가능성을 깊이 생각하고 판단하는 자신의 힘을 누구나 천천히 음미하고 있다.

〈44 디오게네스〉

과거와 미래에 여념하지 마라

'사람이 견뎌야 하는 것은 현재뿐이다. 과거도 미래도 무해하다. 왜냐하면 과거는 이미 존재하지 않고, 미래도 아직 존재하지 않기 때문이다.' 스토아학파의 이 주장은 맞는 말이다.

과거와 미래가 존재하는 것은 사람이 그것을 생각할 때뿐이다. 다시 말해 둘 다 이미지에 불과한 실체가 없는 존재다. 그런데도 우리는 과거에 대한 후회와 미래에 대한 불안을 스스로 만들어내고 있다.

〈53 단검의 춤〉

자신의 인생에 전념하라

현재에 전념하라. 시시각각 전진하고 있는 자신의 인생에 전념하라. 이 순간 뒤에는 다음 순간이 있다. 그리고 당신은 지금 현재에 살고 있기 때문에 지금 살고 있는 것처럼 사는 것이 가능한 것이다.

당신은 미래를 두려워하고 있다. 그러나 미래는 지금의 당신에게는 전혀 알 수 없는 것에 불과하다. 게다가 생각했던 그대로의 일이 일어나는 것은 불가능하다. 지금의 괴로움도, 당장 이렇게 괴로워하고 있기 때문에 반드시 가벼워질 것이라고 말할 수 있는 것이다. '모든 것은 변하고, 모든 것은 사라진다.' 이 격언은 슬픈 기분이 들게 하기도 하지만, 때로는 위안이 되기도 한다.

〈53 단검의 춤〉

죽거나 최선을 다해 살거나

우리는 반드시 자신의 불행을 이겨낼 만큼의 강인함이 내재되어 있다. 또한 실제로 그렇지 않으면 안 된다.

도저히 피할 수 없는 일과 맞닥뜨린 순간 이미 벗어날 수 없는 상황에 사로잡힌다. 그렇다면 죽거나, 아니면 최선을 다해 살 수밖에 없다. 대부분의 사람은 후자를 택할 결심을 한다. 살고자 하는 본능은 너무나 훌륭한 것이다.

〈59 타인의 재난〉

역경의 인생을 살자

사람은 인생에 역경이 많을수록 고난에 잘 적응하여 더 큰 기쁨을 만끽할 수 있다. 왜냐하면 그런 상황에서는 단순한 가능성에 불과한 불운까지 예상할 여유가 없기 때문이다. 그러므로 필요한 것만을 예상하게 될 뿐이다.

〈59 타인의 재난〉

자신에 대하여 생각하지 않는다

역경과 전력으로 마주하고 있는 사람은 행복한 사람이다.

자신의 과거나 미래를 생각하는 사람이 완전히 행복해질 수는 없다. 모든 것의 책임을 짊어지고 있는 한 사람은 행복한 운명이고 그렇지 않다면 죽고 만다. 그런데 자기 자신의 무게를 짊어지는 순간 모든 길은 고난의 길이 된다. 과거와 미래는 그 길의 도중에 있는 장해물이다.

요컨대 자신의 일을 생각하지 말아야 한다는 것이다.

〈59 타인의 재난〉

고인은 모두 살아 있다.

고인(故人)은 죽은 것이 아니다. 이렇게 확실히 말할 수 있는 것은 우리가 살아 있기 때문이다. 고인은 생각하고, 말을 하고, 행동도 한다. 충고하거나, 바라거나, 인정하고, 판단하기도 한다. 중요한 것은 그것이 어떤 것인지를 이해하는 것이다.

이러한 것은 모두 우리 속에서 일어나고 있다. 다시 말해 고인은 모두 우리 안에 건강하게 살아 있는 것이다.

〈61 고인 예찬〉

고인의 조언에 귀를 기울여라

대부분의 사람은 자기 자신에 대하여 마음속으로 진지하게 생각하지 않는다.

본인의 눈으로 보면 너무나 나약하고 방황하는 모습으로 비친다. 또한 주변의 것들을 있는 그대로 생생하게 보는 동시에 자신을 정확하게 바라보는 것은 쉬운 일이 아니다.

한편, 고인이라면 부질없는 것 등을 잊게 해줄 경건한 마음 덕분에 고인에 대하여 살아생전의 모습 그대로를 떠올린다. 고인이 남긴 조언이 현실 세계에서 힘을 발휘하는 매우 인간적인 이 사실은 고인이 더 이상 이 세상에 존재하지 않는다는 점에서 비롯된다. 왜냐하면 현세에 존재한다는 것은 이 세상의 온갖 스트레스에 대처하지 않으면 안 된다는 것이기 때문이다.

그러므로 제대로 보기 바란다. 주의 깊게 귀를 기울이기를 바란다. 고인은 과거에 자신이 바라던 것이 당신 속에서 계속 살아 있기를 바라고 있다. 그리고 그것을 당신의 인생을 충분히 발전시켜줄 것을 바라고 있다. 〈61 고인 예찬〉

미래를 만들 희망을 갖자

자연스럽게 탄생하는 미래와 인간이 만드는 미래가 있다. 실제 미래는 이 두 가지로 되어 있다. 폭풍우나 일식처럼 자연스럽게 발생하는 미래의 경우 희망은 아무런 도움이 되지 않는다. 단지 이해하며 맑은 눈으로 관찰하지 않으면 안 된다. 마치 안경을 닦듯이 자신의 눈에서 감정의 이물질을 닦아내는 것과 같다. 하늘에서 벌어지는 일은 인간이 절대로 바꿀 수 없다. 사람은 천상계의 현상을 통해 포기하는 것과 기하학을 배웠다. 그리고 그것은 인류의 지혜 대부분을 차지하고 있다.

반대로 지상에서 일어나는 일에는 근면한 인간에게 있어 얼마나 많은 변화가 일어났단 말인가! 불, 밀, 배, 훈련된 개, 조련된 말…. 이러한 산물은 만약 객관적인 견해만을 고집하여 희망을 포기하였다면 만들어내지 못했을 것이다.

〈68 낙관주의〉

자신을 신뢰하라

신뢰가 중요한 요소인 이 세상에서 특히 자신에 대한 신뢰를 깊이 생각하지 않으면 엄청난 계산 착오를 일으키고 말 것이다.

자신이 넘어진다고 생각하면 실제로 넘어지고, 자신이 할 수 있는 일이 아무것도 없다고 생각하면 정말로 아무것도 이룰 수 없다. 기대를 하기 때문에 속는다고 생각하면 속아 넘어가고 만다.

그러므로 조심하지 않으면 안 된다. 상황을 좋게 만드는 것도 나쁘게 만드는 것도 본인이다. 우선 본인 마음속을, 그리고 주변 사람의 상황까지도.

〈68 낙관주의〉

계속해서 희망을 가져라

절망도 희망도 구름이 흘러가듯 빠르고, 사람에게서 사람에게로 전해져 간다.

자신이 믿으면 상대도 성실하게 대한다. 처음부터 비난하며 다가가면 자신의 것을 훔치게 된다. 자신이 상대로부터 받는 모든 것은 자신이 상대에게 전달하는 것에 달려 있다.

그리고 잘 생각해 보라. 계속해서 희망을 품을 수 있는 것은 사람의 의지력뿐이라는 것을. 왜냐하면 희망이란 평화와 정의와 같은, 우리가 바라기만 하면 만들어 낼 수 있는 것을 바탕으로 하고 있기 때문이다.

그와 달리 절망은 그 자리에 주저앉아 절망하면서 자신의 힘으로 절망을 강화하고 있는 것이다.

〈68 낙관주의〉

제 4 장

행동에 대하여

기다리지 말고 스스로 행동하라

사람에게는 용기가 있다. 가끔 그런 것이 아니라 근본적으로 용감하다.

행동한다고 하는 것은 단호하게 행동한다는 것이다. 생각한다는 것은 감히 한다는 것이다. 위험은 사방에 널려 있지만, 사람은 그것을 두려워하지 않는다. 그것은 사람이 죽음을 쫓아 죽음에 도전하는 모습을 보면 알 수 있다. 그러나 반대로 죽음을 기다리는 것은 견디지 못한다.

아무것도 하지 않고 허송세월 하는 사람은 당장에 무력에 호소하려 한다. 죽기를 바라지 않고 오히려 살고 싶어 한다.

전쟁의 원인은 극소수의 사람들의 따분함 때문에 발생한다. 의심의 여지가 없다. 그들은 카드놀이처럼 확실한 짜릿함을 바라고 있다. 스스로 추구하고 정의를 내릴 수 있는 짜릿한 쾌감을.

그와 달리 스스로 일을 하는 사람이 평온한 것은 우연이 아니다. 그들은 끊임없이 목적을 달성하고 있기 때문이다.

이런 사람들은 충만하고 밝은 삶을 살며 죽음의 욕구에 대한 유

혹을 극복하고 있다. 이것이야말로 죽음에 대한 단 하나의 타당한
사고방식이다.

<15 죽음에 대하여>

우선 행동하라

누가 선택했단 말인가. 있을 수 없다. 선택을 한 사람 따위는 아무도 없다.

누구나 처음에는 어린아이였기에 누구라도 선택하기 전에 오로지 행동했을 뿐이다.

자신의 경력이란 자연의 힘과 환경의 산물이다. 아무리 깊이 생각하더라도 결정을 내리지 못하는 것은 바로 이런 이유 때문이다.

〈22 숙명〉

모든 길은 옳은 길이다.

아무도 선택하지 못한 채 모두는 그저 멈추지 않고 계속 걷고 있다. 게다가 모든 길이 옳은 길이다. 인생의 비법은 자신이 지나온 길과 지금 하는 일의 내용에 대하여 혼자 이러쿵저러쿵 주절거리는 것이 아니라 확실하게 해내는 것이다.

사람은 자신이 이미 선택한 것, 하지 않은 것에서 운명의 증표를 찾고 싶어 한다. 그러나 그런 선택에 얽매여서는 안 된다. 본질적으로 불행한 운명 같은 것은 없으며 스스로 그렇게 되고자 한다고 해도 어떤 운명이라도 그것은 좋은 운명이기 때문이다.

〈22 숙명〉

필요 없는 것은 털어버려라

나무 한 그루, 혹은 가지 하나가 잘린 것을 보고 슬퍼하는 신경질적인 여자가 있다. 그러나 만약 나무꾼이 없다면 순식간에 무성해져 뱀이 나오고 늪이 생기고 열병이 발생할 것이고, 식량을 구하지 못해 굶어 죽는 사태가 일어날 것이다.

마찬가지로 우울함도 완전히 제거해 버려야 한다. 자신의 우울함을 인정하지 않는 것이 무엇이든 쉽게 믿지 않는 것의 본질이다.

세계는 도끼와 낫과 곡괭이에 의해 펼쳐졌다. 이러한 착각을 베어내고 인생의 길을 활짝 여는 것이다. 그것은 예언에 대한 과감한 도전이다.

그러나 자신에게 너그럽게 예언의 증표를 고마워하며 받아들인다면 세상은 순식간에 우리의 눈앞에까지 무성해져 그 존재를 과시하게 된다.

〈23 예언자의 영혼〉

스스로 헤쳐 나가라

모든 것이 우리에게는 불리하다. 아니, 더욱 정확하게 말하자면 모든 것은 중립적이고 우리와 이해관계가 없다.

사람이 아무것도 하지 않는다면 세상은 수풀과 역병으로 뒤덮일 것이다. 그렇다고 살지 못할 것도 없지만 쾌적한 환경은 아니다. 사람에게 편리를 제공해주는 것은 스스로 노력하여 달성한 것뿐이다. 오직 기대만 하고 있기 때문에 불안해지는 것이다.

그러므로 어쩌다 처음부터 잘 풀린 것은 시작으로는 매우 좋지 않다. 신께 감사드리던 사람도 머지않아 신을 저주하게 될 것임이 틀림없다.

〈26 헤라클레스〉

원하는 것은 스스로 찾는다

사람은 누구나 자신이 바라는 것을 손에 넣을 수 있다. 젊은 사람들은 이 사실에 대해 잘못 이해하고 있다. 그들은 하늘의 은혜를 기원하며 기다리는 것밖에 모른다. 그러나 하늘의 은혜는 하늘에서 떨어지지 않는다.

바라는 모든 것은 사람을 기다리고 있는 산과도 같다. 한곳에 계속 존재하며 보기 싫어도 사람의 눈에 들어온다. 그러나 스스로 오르지 않으면 안 된다.

징조가 좋은 출발을 한 의욕적인 사람은 모두 각자의 목적지에 도달한다. 그것도 내가 생각했던 것 이상으로 빠른 속도로.

〈28 의욕적인 사람들〉

스스로 추구하라

이 세상에는 스스로 추구하지 않는 사람에게는 아무것도 주지 않는다. '스스로 추구하지 않는 사람'이란 '무슨 일이 있더라도 도중에 포기하지 않고 끈기 있게 추구하지 않는 사람'이라는 의미다.

지금의 세상에서는 나쁘지 않다. 교양과 재능만이 중요하지 않기 때문이다. 아무리 지식과 적확한 판단력이 있더라도 그 일을 좋아하지 않는다면 그건 아무래도 상관이 없다.

〈28 의욕적인 사람들〉

자신의 흔적을 남겨라

항상 의지를 발휘할 것—강한 의지를 가진 사람은 이 점에서 특출하지만, 무슨 일이든 일어날 수 있는 이 변화무쌍한 세상에서 그 덕분에 반드시 성공에 이를 수 있다.

의지가 강한 사람의 특징은 무엇이든 자신의 흔적을 남긴다. 사실 이 강한 의지력은 생각했던 것만큼 특별한 것이 아니다. 비유하자면 사람이 입는 옷과 마찬가지로 주름이라는 흔적은 그 사람의 몸과 움직임에 맞춰 만들어지는 것이다.

〈29 운명에 대하여〉

정말로 갖고 싶다고 염원하라

이게 없고 저게 없다고 불평을 늘어놓는 사람은 많다. 그 원인은 항상 그 사람들이 진심으로 갖고 싶다고 염원하지 않기 때문이다.

〈29 운명에 대하여〉

이해하고 행동하라

이해하고 행동하는 것이야말로 진정한 치료법이다. 반대로 만약 아무것도 하지 않은 채 멍하니 있으면 이윽고 불안과 후회에 사로잡히게 될 것이다.

생각하는 것은 일종의 게임과 같은 것으로 항상 잘못될 것이라고 단정할 수 없다. 루소는 이렇게 기록하고 있다.

'멍하게 있는 인간은 자연에 반하는 생명체이다.'

〈38 따분함〉

진정한 해결책은 어떻게 하면 좋을지 아는 것이다

야심가는 언제나 무언가를 좇고 있다. 남들이 모르는 행복이 거기에 있다고 믿고 있기 때문이다. 그러나 정작 본인은 바쁘다는 것만으로 만족하고 있다. 무언가에 실망하고 낙담하고 있을 때조차 그 불운 속에서도 여전히 만족하고 있다. 왜냐하면 해결책을 알고 있기 때문이다.

진정한 해결책이란 어떻게 해야 좋을지를 알고 있어야 한다.

〈40 도박〉

행복과 쾌락은 별개의 것이다

행복과 쾌락은 전혀 다른 것이다. 이 둘에는 구속과 자유만큼의
차이가 있다.

〈42 행동하는 것〉

자진하여 행동하라 1

사람은 스스로 생각하고 행동하고 싶어 한다. 남의 명령에 따라 움직이는 것을 싫어한다.

온갖 시련을 마다하지 않고 받아들이는 사람들은 모두 강제적인 일은 틀림없이 싫어한다. 누구라도 싫어할 것이다. 누구라도 우연한 불행은 싫을 것이고 필연적 운명의 강요도 싫어한다.

그러나 시련을 자진하여 받아들이는 순간 행복해진다.

〈42 행동하는 것〉

자진하여 행동하라 2

그 싸움이 자신의 의지에 의한 것이라면 악전고투 끝에 얻은 승리만큼 기분 좋은 것이 없다. 결국 인간의 단 한가지 바람은 '힘'인 것이다.

〈42 행동하는 것〉

자진하여 행동하라 3

많은 사람이 우연히 찾아온 행복에 대해서는 그다지 고마운 마음을 갖지 않는다. 스스로 행복을 만들고 싶다고 생각하고 행동 것이다.

아이들은 어른이 만든 정원에는 전혀 흥미를 느끼지 않는다. 모래와 지푸라기를 이용해 혼자서 정원을 꾸미기 시작한다. 스스로 수집하지 않는 수집가를 상상할 수 있겠는가?

〈42 행동하는 것〉

자진하여 행동하라 4

사람은 세월에 의한 운명보다도 자신의 손으로 개척한 운명을 즐겨 선택한다. 그 때문에 전쟁에도 시정(詩情)이 있고, 그것은 적에 대한 증오로부터 눈을 돌리게 하는 힘까지 있다.

전쟁과 모든 종류의 감정은 스스로 자유롭게 결정할 수 있지만 이 황홀감에서 빠져나올 수 없다. 자연재해는 일방적으로 일어나는 것이지만, 전쟁은 어떤 의미에서 게임처럼 사람이 생각해낸 것이다. 따라서 우리에게는 분별과 이성만으로 평화가 충분히 보장된다고는 생각할 수 없다. 왜냐하면 우리가 전쟁을 멈추고 화해하는 것은 정의를 사랑하는 마음 때문이지만, 정의를 세우는 것은 다리나 터널을 만드는 것과는 달리 매우 어렵기 때문이다.

'평화는 만드는 것'이라는 것도 그런 이유 때문이고, 그것이 유일한 이유인 것이다.

〈42 행동하는 것〉

힘, 자신에게조차 가차 없다

누구라도 행동을 할 때는 양심의 목소리가 들리지 않는다. 이러한 무감정한 격렬함은 나무꾼이 도끼를 내리치는 동작에서도 마찬가지다.

정치가의 행동에는 지금까지는 확실하게 드러나지 않았더라도 그 행동의 결과에는 이런 종류의 격렬함을 드러내고 있는 경우가 많다. 도끼처럼 가차 없고 무신경한 사람과 만나더라도 그가 자신에게조차 가차 없다는 것을 알게 된다면 그리 놀랄 일이 아니다. 힘은 자신에게조차 무정하고 가차 없는 것이다.

〈43 행동하는 사람〉

행동의 힘은 사람을 끌어들인다

왜 전쟁은 멈추지 않는 걸까? 전쟁은 행동으로 사람을 끌어들이기 때문이다.

사람의 이성적 사고는 노면전차와 마찬가지로 출발할 때는 어수룩하다. 이것으로 행동의 놀라운 힘이 설명된다. 행동의 힘은 양식의 등불을 꺼버리고 멋대로 자기를 정당화시킨다. 그와 동시에 하찮은 모든 감정도 사라지고 만다. 그러나 정의 또한 행동 속으로 점점 소멸하여 간다.

〈43 행동하는 사람〉

행동하지 않는 즐거움보다 행동하는 역경을 택하라

사람은 주어진 기쁨에는 금방 싫증을 낸다. 스스로 쟁취한 기쁨을 훨씬 좋아한다. 그중에서도 행동하는 것과 이기는 것을 좋아해 괴로워하거나 굴복하는 것을 바라지 않는다.

이런 이유로 사람은 행동이 없는 즐거움보다 행동하는 역경을 택하는 것이다.

역설을 좋아하는 디오게네스는 역경이야말로 훌륭한 것이라고 말하였다. 그가 말하는 역경이란 스스로 선택하고 적극적으로 받아들이는 역경을 말한다. 끝없이 견뎌야만 하는 역경은 아무도 바라지 않는다.

〈44 디오게네스〉

기쁨은 행동과 함께 싹튼다

사람은 대부분 즐거움보다 행동을 선택한다고 이해하는 것이
좋다. 무엇보다 올바른 행동, 특히 정의라는 이름의 행동을 좋아한
다. 그 행동을 통해 더없는 행복이 싹트는 것은 의심의 여지가 없
다. 단, '생동(生動)이란 기쁨을 추구하는 것이 아니다.'는 신념은
흔히 하는 착각이다. 왜냐하면 기쁨이란 행동과 함께 싹트는 것이
기 때문이다.

사랑하는 기쁨을 알면 쾌락을 추구하고자 하는 마음은 생기지
않는다. 인간이란 그런 존재이다.

〈45 에고이스트〉

장해에 투지를 불사르라

아무것도 하지 않는 사람은 아무것도 바라지 않는다. 그런 사람은 환자처럼 만남의 행복을 외면할 뿐이다.

세상에는 음악을 듣기보다는 연주하고 싶어 하는 사람이 많은 것도 그 때문이다. 역경이야말로 즐거움이 있다. 그 때문에 인생의 항해 중에 장해를 만날 때마다 피가 뜨거워지고 의욕이 충만해지는 것이다.

쉽게 손에 넣을 수 있는 것이라면 올림픽 메달을 과연 누가 원하겠는가?

〈46 왕은 따분하다〉

우유부단은 최악이다 1

데카르트는 이렇게 말했다.

"우유부단은 모든 부도덕 중에서 최악의 것이다."

인간의 특성을 이렇게 적확하게 지적한 말을 나는 알지 못한다. 사람의 모든 감정도, 그 무익한 선동도 이것으로 다 설명할 수 있을 것이다.

사람은 도박을 좋아한다. 도박에서는 의사 결정이 필요하기 때문인데, 도박이 사람의 마음에 끼치는 영향 때문에 큰 오해를 받고 있다.

〈78 우유부단에 대하여〉

우유부단은 최악이다 2

행동을 연상하는 것만으로는 아무것도 되지 않는다. 변하는 것은 아무것도 없다.

어떤 행동이든 운에 맡기는 요소가 있다. 행동이란 그것에 대해 깊이 검토하기 전에 검토를 중단하는 것이기 때문이다.

〈78 우유부단에 대하여〉

우유부단은 최악이다 3

사랑에 빠져 밤새 잠 못 이루는 사내, 혹은 실망한 야심가를 보고 '대체 왜 그렇게 괴로워하는 걸까?' 라는 생각을 할지도 모른다. 이러한 고뇌는 대부분 머릿속에 있는 것이다. 일반적으로는 몸속에 있다고도 하지만.

밤새 잠을 이루지 못할 만큼의 불안함은 무엇 하나 결정하지 못하는 무의미한 결심에서 비롯된다. 그리고 그 반응은 항상 신체에 드러나 뭍에 오른 물고기처럼 벌떡 일어나고 만다.

〈78 우유부단에 대하여〉

결단하는 기술을 가져라

생각하는 것은 분명 즐거운 일이다. 그러나 생각하는 즐거움은 결단하는 기술이 있어야 비로소 성립되는 것이다.

〈79 예의범절〉

제 5 장
대인 관계에 대하여

최대의 적은 자기 자신이다

날카로운 말의 화살은 모두 자신이 혼자 쏘아댄 것이다. 게다가 그것은 모두 자신에게로 떨어진다. 최대의 적은 자기 자신이다.

〈6 감정에 대하여〉

가족으로부터 떨어져라

어떤 근심거리가 있으면 쉽게 잠을 이루지 못한다. 그리고 병이 들었다고 확신하고 밤새 잠을 이루지 못한 채 낮에는 남들에게 불면증에 시달린다고 투덜거리게 된다. 그렇게 그 이야기는 주변 사람들에게 퍼지고 이야깃거리가 되어 한 명의 신경쇠약증 환자가 탄생하게 된다.

그럼, 과연 어떻게 하는 것이 좋을까? 가족한테서 떨어져라. 무관심한 사람들 속에서 생활하는 것이다. 이 사람들은 불평을 들어주지도 않을 것이고, 오히려 항상 기분을 상하게 하는 상대를 배려하고 지켜주지도 않는다.

이러한 환경에서도 쉽게 절망하지 않게 된다면 기운을 차리게 될 것이다.

〈34 염려〉

본모습을 보여라

가정에서는 서로 아끼고 있으면 특히 엄격함 없이 모두 본모습을 보여준다. 어머니는 굳이 자식들에게 좋은 엄마라는 소리를 듣고 싶어 하지 않는다. 오히려 그럴 때는 항상 자식이 말썽을 피우기 때문이다.

따라서 착한 아이는 방치되기도 한다. 그것이 최대의 포상인 것이다. 우리는 별로 관심이 없는 사람들에게는 예의를 차리고, 소중한 사람에게는 자신의 기분 상태를 보이게 마련이다.

〈35 가정의 평화〉

가족이란 의지의 힘으로 만들고 지키는 것

가족이라는 구조는 사법의 구조와 닮았다. 우연히 발생한 것이 아니라 의지에 의해 만들어지고 지켜야 하는 것이다.

일시적인 충동 속에 잠재된 위험성을 제대로 이해하고 있는 사람은 자신의 행동을 조정하여 자신의 소중한 감정을 지킨다. 따라서 결혼은 의지라는 관점에서 본다면 해소할 수 없는 것으로 생각해야 마땅하다. 그러면 사람은 가정에서의 사소한 일들을 참으며 가족을 지키기 위해 열심히 노력하기 때문이다. 이것이야말로 결혼의 맹세가 도움이 되는 이유이다.

〈35 가정의 평화〉

인간관계는 기적의 장이다.

과일 하나라도 어떻게 해서든 맛있게 연구할 수가 있다. 결혼 생활과 그 밖의 모든 인간관계라면 더욱 그렇다.

사람의 이러한 관계는 맛을 보거나 묵묵히 감수하고 받아들이는 것만이 아니다. 스스로 만들어나가지 않으면 안 된다.

인간관계는 그 순간의 날씨와 바람의 방향에 따라 쾌적해지고 불쾌해지는 날씨의 변화와는 다르다. 그와 달리 스스로 마법사가 되어 비를 내리거나 화창하게 하는 것 같은, 쉽게 말해 기적의 장인 셈이다.

〈36 사생활에 대하여〉

행복한 결혼 생활의 영위 1

로맹 롤랑은 그의 저서에서 멋지게 시사하고 있다.

"행복한 결혼 생활을 영위하고 있는 부부는 거의 없으며 거기에는 타당한 원인이 있다."

〈37 부부〉

행복한 결혼 생활의 영위 2

부부간의 반복은 다른 사람과의 관계를 통해 개선할 수 있다. 그 것은 두 가지 작용을 한다.

먼저 친구와 친척과의 관계를 통해 부부 사이에도 마찬가지로 예의가 침투한다. 변덕스러움이 전혀 없는 척을 해야 하므로 반드시 예의범절이 필요해진다. '전혀 없는 척'이란 정말 그럴듯한 말이다. 마음이 동요된 원인 등, 그것을 겉으로 드러낼 수 없다면 느낄 수도 없다. 그러므로 아무리 사랑하더라도 예의를 지키는 것이 언짢은 기분으로 있는 것보다는 성실한 태도인 것이다.

또한 대인 관계를 통해 남자의 관심은 충족되고 자신만의 세계에서 방황하지 않아도 된다. 남자는 아무리 노력해도 아무것도 하지 않고서는 참기가 어렵다.

사랑만을 담보로 살아가고 있는 부부는 어딘지 모르게 위험해 보이는 부분이 있다. 이런 가정은 바다에 나가기에는 너무나 빈약하고 불안정한 나룻배와 같다. 안정된 밑바탕이 부족한 것이다.

〈37 부부〉

전쟁은 따분하기 때문에 일어난다

전쟁은 어쩌면 도박과도 같은 요소가 있다. 전쟁이 일어나는 것은 '따분함' 때문이다.

그 증거로 남들보다 항상 일이나 근심거리가 적은 사람이 가장 호전적이지 않던가!

〈40 도박〉

동정하지 말라

배려에는 인생에 악영향을 끼치는 것이 있다. 그것은 불쌍히 여기는 동정이라 불리는 것이다. 이것들은 인간 세계에 만연한 골칫거리 중의 하나이다.

〈58 동정에 대하여〉

미소를 지어 보여라

"뭐야, 이거 또 비잖아!"라는 불평이 무슨 도움이 되겠는가. 그런 것은 비에도, 구름에도, 바람에도 아무런 영향을 주지 못한다. 뭔가 말을 하려면 "와, 습도가 딱 좋아!"라고 하는 게 어떨까? 그러면 기분도 좋아지고 몸이 쫙 펴지면서 실제로 따뜻해지는 것을 느낄 수 있다. 기쁠 때 작은 몸짓의 효과란 그런 것이다.

사람의 경우에도 비와 마찬가지다. 그런 간단한 문제가 아니라고 할지도 모르지만 정말 쉽다. 비보다 훨씬 간단하다. 미소를 짓는다고 비에는 아무런 효과가 없지만, 사람에 대해서는 대단한 효과가 있으니까.

미소를 지어 보이는 것만으로 상대의 슬픔과 따분함은 한결 가벼워진다.

〈63 빗속에서〉

최대의 적은 상대가 아니라 자기 자신이다

사람은 자신에게 적이 있다고 생각하지만, 그것은 잘못된 생각이다. 사람은 그렇게까지 일관되지 못하다.

대부분의 사람은 자기편을 만들기보다 스스로 적을 키우는 데에만 열심이다. 당신은 '저 남자는 내가 불행하기를 바라고 있다'고 생각한다. 상대는 아마도 아무런 생각도 하고 있지 않은데 당신만 심각하게 생각하고 있다. 당신의 낯빛에 적대감이 드러나 있기 때문에 상대는 그것만으로도 이미 당신에 대한 적대감을 품게 된다.

자기 자신 이외에 적은 거의 없다. 최대의 적은 항상 자기 자신이다. 잘못된 생각과 무의미한 불안, 맥이 탁 풀리는 대화를 자기 자신과 나눔으로써.

〈67 자신을 알라〉

험담에 신경 쓰지 말자

누구라도 남에게 욕을 먹거나 칭찬을 듣기도 한다. 인간이란 그런 존재이기 때문에 상대의 신경에 거슬리지 않는지를 일일이 걱정하지 않는다.

한편, 사람은 화가 나면 무분별해지는 경향이 있는데, 그것은 겁쟁이이기 때문에 그렇게 된다. 그리고 자신이 상대의 신경을 거슬렀다는 생각에 점점 더 자신이 나쁜 인간이라는 생각을 하게 된다.

그러나 이러한 구조만 알고 있다면 마음먹기에 따라 그런 계략에 말려들지 않도록 할 수 있다.

〈71 배려〉

상대는 자신을 비추는 거울이다

자신의 감정보다 다른 사람의 감정을 직접 조정하는 것이 간단하다.

대화 상대의 감정에 신중하게 대처하는 사람은 동시에 자기 자신의 감정에 대한 의사이기도 하다. 왜냐하면 대화든, 춤이든 상대는 또 다른 상대, 다시 말해 자신을 비추는 거울이기 때문이다.

〈71 배려〉

험담을 믿는 것은 감정 때문이다

만약 녹음기에서 갑자기 험담이 흘러나온다면 웃고 말 것이다. 만약 말을 하지 못하는 기분과 언짢은 사람이 자신의 화풀이를 하기 위해 온갖 험담을 녹음한 레코드를 틀었다면, 마음에 걸리는 부분이 있더라도 설마 자신에 대한 험담이라고는 생각하지 않을 것이다.

그러나 그런 험담을 하는 것이 인간인 경우 그 내용이 전부 처음부터 생각했던 것, 혹은 적어도 그 순간에는 정말로 그렇게 여겼다고 생각하기에 십상이다.

그것은 감정을 제대로 이성에 호소할 수 있기 때문으로, 사람은 아무 생각도 없이 내뱉는 말에 반드시 의미를 찾아내려고 하기 때문이다.

〈72 험담〉

독설을 웃어넘겨라

사이좋은 가족 간에도 짜증이 날 때면 자신도 모르게 던진 말 때문에 분위기가 험악해지는 경우가 있다. 우리는 이렇게 아무 생각 없이 던진 독설을 웃어넘기지 않으면 안 된다.

그런데 대부분의 사람은 이 감정의 무의식적 행위에 대해 전혀 모르고 있기 때문에 있는 그대로 받아들이고 만다. 미움은 이런 사소한 것에서 싹트게 된다. 그러나 그것은 처음부터 존재하지 않는 '상상 속의 증오'에 불과하다.

〈72 험담〉

상대를 하지 마라

아무런 의미도 없이 그저 큰소리로 외치는 온갖 욕설, 그것은 사람의 감정을 상하게 하여 돌이킬 수 없게 한다. 모든 것을 입에 담지 않은 채 분노를 잠재우기 위해 인간이 본능적으로 생각해 낸 것일지도 모른다.

실제로 모든 욕설은 종잡을 수 없는 헛소리에 불과하다. 이 사실만 알고 있다면 욕설은 원래 아무런 의미도 없어 일일이 이해할 필요가 없다는 것을 알게 될 것이다.

〈72 험담〉

배려심을 가져라

고인에 대해서는 가능한 한 따뜻한 마음과 기쁨으로 이야기해야 한다. 슬픔을 위대한 것, 아름다운 것이라 가르치는 가톨릭 사제들의 허언을 일축한 뒤에도 살아 있는 우리에게는 아직 해야 할 일이 남아 있다.

훌륭한 인생을 영위해야 하는 것, 나쁜 것에 감화되거나 슬픔을 과장되게 부풀려 타인과 자신에게 상처를 주지 말 것. 모든 것은 이어져 있기 때문에 인생의 사소한 불행에 대하여 떠벌리고 남에게 보이거나 과장되게 허풍을 떠는 것은 금해야 한다.

다른 사람은 물론이고 자신에게도 친절할 것. 타인의 삶을 도와주고 자신의 삶 또한 도와줄 것. 이것이야말로 진정한 배려다.

친절한 행위는 기쁨의 씨앗이다. 사랑은 기쁨인 것이다.

〈73 좋은 기분〉

예의 바름을 배워라 1

예의 바름은 춤과 마찬가지로 배우고 익혀야 한다. 춤을 추지 못하는 사람은 정해진 것을 배워 그대로 움직여야 하므로 춤이 어렵다고 생각한다. 그러나 그것은 대상의 표면밖에 보지 않는 것이다.

춤이 어려운 것은 몸이 굳어 보기 흉한, 다시 말해 주저하지 않고 춤을 출 수 있어야 하기 때문이다. 마찬가지로 정해진 예의를 배우는 것은 전체 중에 극히 일부이다. 그러므로 그대로 행동을 하는 것은 고작해야 예의라는 것의 입구에 들어선 것에 불과하다.

몸짓은 정확하고 부드러워야 한다. 거북해하지 않고 진심이 담겨 있어야 한다. 아주 작은 불안감이라도 상대에게 전달될 수 있기 때문이다.

상대에게 불안감을 주는 것은 예의 바르다고 할 수 없다.

〈82 예의 바름〉

예의 바름을 배워라 2

거칠고 성급함이 느껴진다면, 그것은 모두 예의가 없는 것이다. 둘 중 어느 하나라도 느껴진다면 무례한 것이다. 사소한 위협을 느끼게 하더라도 이미 지나친 것이다.

무례함이란 항상 위협을 하는 것과 같다.

〈82 예의 바름〉

예의 바름을 배워라 3

무례한 사람은 본인 혼자 있을 때조차도 사소한 동작에도 힘이 들어가 있다. 혼란스러운 감정은 자신에 대한 불안 때문에 주저하고 있다는 것을 느끼게 한다.

광적인 언행은 자신감이 없고, 자신이 믿고 있는 것을 지킬 수 없다는 불안의 산물이다. 그런 불안감을 오래 견딜 수 없기 때문에 미움으로 변하여 자신은 물론이고 다른 사람에게도 드러내는 것이다.

〈82 예의 바름〉

예의 바름을 배워라 4

찻잔을 드는 방법에서도 그 사람이 얼마나 세련되었는지 알 수 있다. 펜싱 선수는 빈틈없이 커피잔을 젓는 모습을 보고 검사의 실력을 판단한다고 한다.

〈82 예의 바름〉

예의 바름을 배워라 5

고의적인 행위는 모두 올바른 예의의 범주에서 벗어난다. 바른 예의란 자연스럽게 행해지는 것만이 해당한다. 거기에 의도적으로 무언가를 표현하려 하지 않아도 자연스럽게 드러나는 것이 바른 예의이다.

처음 생각난 것을 충동적으로 내뱉고, 감정을 억제하지 못하고, 감정을 자각하지 못한 사이에 놀람과 혐오감과 기쁨을 거침없이 드러낸다. 이런 사람은 모두 무례한 사람이다. 따라서 항상 사죄를 해야 한다.

자신도 모르는 사이에 자신의 의도와 달리 타인의 마음을 상하게 하고 당혹스럽게 하기 때문이다.

〈83 예의 바름〉

예의 바름을 배워라 6

예의는 습관이며 일종의 자연스러움이다. 펜싱처럼 배우고 익힐 수 있다.

거드름을 피우는 사람이란, 부자연스럽고 갑작스러운 언행으로 스스로 깨닫지 못한 채 무언가를 전하는 사람을 말한다. 주저하는 사람이란, 거드름을 피우고 싶지만 어떻게 해야 좋을지 모르는 사람이다. 그는 말과 행동의 중요성을 잘 알고 있다. 이 때문에 몸을 움츠린 채 긴장하게 되는 것이다.

반면에 소양이라고 하는 것은 태도와 예절의 조화가 잘 이루어진 것을 말한다. 소양이 있는 사람은 타인의 마음을 상하게 하지 않는다. 이러한 개인적인 자질은 행복을 위해 매우 중요한 것이다.

'행복의 요령'을 터득하고자 한다면 이러한 자질을 소홀히 해서는 안 된다.

〈83 예의 바름〉

예의 바름을 배워라 7

예의범절이란 감정에 대항하는 일종의 단련과도 같다. 예의 바르다는 것은 쉽게 말해 모든 언행을 통해 이렇게 전하고 있다.

'초조해하지 말자. 인생의 이 순간을 허사로 만들지 말자.'

〈84 즐겁게 해주는 것〉

있는 그대로를 받아들여라

대인 관계에 있어서 서로에게 기대할 수 있는 단 하나의 도움, 그것은 상대의 존재를 인정하고 그 사람을 있는 그대로 받아들이는 것이다.

상대를 있는 그대로 받아들이는 것은 어려운 것이 아니고, 결국 그렇게 되고 만다. 오히려 상대가 있는 그대로의 모습이기를 바라는 것, 이것이야말로 진정한 사랑이다.

〈88 시인들〉

구속하지 말 것

완전한 것끼리 반발하는 것은 있을 수 없다. 충돌하는 것은 불완전하고 부도덕할 뿐이다. 불안이 바로 그 좋은 예이다.

그러므로 사람을 구속하는 폭군과 비겁자들의 방식은 너무나 터무니없고 어리석은 행위의 근원이라는 것을 잘 알고 있다.

구속을 풀어라. 자유롭게 두어라. 두려워 마라. 자유로운 인간에게 적의는 없으니까.

〈88 시인들〉

제 6 장
일에 대하여

가치 있는 것을 추구하라

책임이 있는 훌륭한 일을 하며 많은 책을 읽고, 소중한 친구가 있으면서도 많은 것을 배우지 못하는 것은 부끄러운 일이다.

그러나 그 이상으로 많은 사람이 범하기 쉽고 매우 중대한 실수가 있다. 그것은 가치 있는 일에 흥미를 갖고 있으면서도 적극적으로 대하기를 피하는 것이다.

자신이 진정으로 바라는 것을 추구하는 것은 멋진 '인생의 힌트'가 될 것이다.

〈4 신경쇠약증〉

일은 자신에게 권한이 있는 한 즐길 수 있다

일이란 모두 자신에게 권한이 있다면 즐길 수 있지만, 따라야 한다면 재미없어진다.

〈44 디오게네스〉

즐겁게 일하라

일이 유일한 즐거움이고, 그것만으로도 완전한 만족감을 얻을 수 있는 것은 일뿐이다.

물론 여기서 말하고 있는 것은 자신 스스로 선택하고 하고 싶은 일을 말하며, 자신의 능력을 발휘하는 것은 물론이고 그것을 통해 새로운 능력을 발휘할 수 있는 일을 말한다.

그저 묵묵히 시키는 일만 하는 것이 아니라 스스로 행동하는 것이 중요하다.

〈47 아리스토텔레스〉

역경이야말로 기쁨을 가져다준다

일이 속속 이어지고 하나의 수확이 다음 수확으로 이어진다. 여기에는 구속받지 않고 스스로 일하는 자영 농부의 행복이 있다.

그러나 많은 노고를 동반하는 이러한 행복에 대하여 사람들은 크게 반발한다. 그 이유는 늘 그렇듯 저절로 굴러들어오는 행복을 바라는 어리석은 행각 때문이다.

디오게네스의 변명은 아니지만, 역경이야말로 훌륭한 것이다. 그러나 머리는 이 역설을 쉽게 받아들이려 하지 않는다. 그럼에도 불구하고 이것은 반드시 이해하고 받아들여야 한다.

다시 말하지만, 깊은 생각이 필요한 역경이야말로 기쁨을 가져다준다.

〈47 아리스토텔레스〉

역경을 택하라

역경이야말로 가장 큰 만족감을 가져다준다.

그 때문에 사람들은 아무런 문제 없이 남이 시키는 일보다는 시행착오를 겪을 여지가 있는 어려운 일을 선택하는 것이다.

〈48 행복한 농부〉

스스로 찾고 자유롭게 일하라

일이란 모든 것 중에서 최고의 것이자 최악의 것이기도 하다. 스스로 찾아 자유롭게 일하는 것이라면 최고 중의 최고이며 반대로 자주성이 없다면 최악이다.

가장 자유로운 일은 일을 하는 사람 자신의 경험과 지식으로 조정이 가능한 일이다. 일의 완성도를 자신의 눈으로 직접 확인하고 완성도의 조정을 통해 배울 수 있는 것을 찾고 귀를 기울인다면, 그 사람은 행복하다고 할 수 있다.

〈48 행복한 농부〉

도움이 되는 일은 그 자체가 기쁨이다

도움이 되는 일은 그 자체로 기쁨이다. 그 기쁨은 일에서 이익을 얻을 수 있기 때문이 아니라 그 일 자체 때문이다.

〈49 해야 할 일〉

어려운 일을 자발적으로 협력하여 해내자

사람이 가장 큰 만족감을 느낄 수 있는 것은 어려운 일을 자발적으로 남들과 협력하여 해내는 것이다. 스포츠 경기를 보면 그것을 잘 알 수 있다.

〈49 해야 할 일〉

탄력적으로 대하라

개중에는 아이들을 평생의 게으름뱅이로 만들어버리는 교사도 있다. 아이들에게 1년 내내 공부만 강요하면 아이들은 억지로 공부를 하여 잘못된 공부 습관이 배이게 된다. 그러면 공부에 대한 극도의 피로감이 항상 동반될 뿐이다.

그러나 변화를 주면 공부도 피로감도 기분 좋게 느껴진다. 억지로 하는 따분한 일은 잠시 바깥 공기를 마시는 산책과 마찬가지다. 산책 중에는 몸이 나른하지만, 집에 돌아오면 더 나른하지 않다.

반면에 가장 힘든 일을 할 때는 질리지도 않고 잡념도 사라진다. 일이 끝나면 푹 쉰 다음 깊은 잠을 자는 것이다.

〈49 해야 할 일〉

'조금 있다가'가 아니라 '당장 하겠다.'고 말하라

불안은 늘 지금 존재하는 것, 계획은 늘 미래에 존재하는 것이다. 여기서 게으름뱅이의 정해진 대답은 '조금 있다가'이다.

그것이 아니라 '당장 하겠다.'라고 해야 마땅하다. 왜냐하면 미래는 행동 속에 있기 때문이다. 예측할 수 없는 것이 미래이고 지금 하는 일 또한 그렇다. 어떤 일을 통해 보는 미래가 상상대로인 경우는 결코 없으며 반드시 더욱 더 나은 것이기 때문이다. 그러나 아무도 그렇게 생각하지 않는다.

꿈을 꾸는 사람들은 계속 그 소리만 한다. 남이 한 일보다 자신의 구상이 훨씬 훌륭하다고 말이다.

〈50일〉

희망을 품기 전에 시작하라

자수도 처음 몇 바늘은 아무리 해봐도 즐겁지 않다. 그러나 수를 놓다 보면 희망이 커진다.

기독교의 일곱 가지 덕목 중에서 '믿음'이 제일 덕목이고, '희망을 품는 것'은 두 번째 덕목에 그치고 있다. 다시 말해 희망을 품기 전에 시작해야 하고, 희망이 싹트는 것은 진행 단계로 이어져 진척이 있을 때의 일이다.

현실의 계획이 발전 가능한 것은 일 그 자체로부터이다.

〈50일〉

행동함으로써 행복을 얻어라

흔히 말하기를, 행복은 그림자처럼 눈앞에서 사라진다고 한다. 틀림없이 그렇다. 손아귀에 넣는 것은 절대로 있을 수 없다. 그와 달리 행동함으로써 얻는 행복은 상상의 것이라도, 상상할 수 있는 것도 결코 아니다. 그것은 실질적인 것 이외에 그 어떤 것도 아니기 때문에 그 이미지를 연상하는 것은 무리다.

〈50일〉

문제의 핵심에 다가가라

에픽테토스는 이렇게 말했다.

"잘못된 생각을 억제하면 불행도 억제할 수 있다. 어떤 불안도, 어떤 고압적인 강박관념도 해결책은 똑같다. 문제의 핵심에 다가가 무엇이 어떻게 되었는지를 이해하지 않으면 안 된다."

배를 타고 있을 때 폭풍우를 만나면 사람들은 이런 말을 하거나 생각을 하게 된다. '바다가 거칠어지고 있다. 마치 지옥에서 울리는 목소리 같다. 성난 파도가 소용돌이치고 있다. 위험해, 덮칠 것 같아.'

그러나 잘못된 생각이다. 배의 무게와 조류의 흐름과 바람에 의해 좌우되는 균형의 문제인 것이다. 불행의 문제가 아니며 생명을 위협하는 것은 굉음과 격렬한 요동도 아니다. 운명의 문제도 아니다. 난파되더라도 살아남을 수도 있고, 평온한 바다에 빠져 죽는 경우도 있으니까.

여기서 문제가 되는 것은 물 위로 얼굴을 내밀 수 있을지 없을지, 그것뿐이다.

〈65 에픽테토스〉

신경을 집중하라

결투에 익숙한 사람은 싸움터에 있더라도 두려워하지 않는다. 자신의 행동도 상대의 행동도 확실히 인식하고 있기 때문이다.

그러나 될 대로 되라 생각하면 상대의 칼에 찔리기 직전에 숨어 있던 불행이 마음속에 떠오르고 만다. 이 공포는 실제로 상처를 입는 것보다 훨씬 위험하다.

〈65 에픽테토스〉

연습을 반복하여 몸에 익혀라

좋지 않은 일이 있더라도 원인에 비추어 생각하고 이해할 수 있는 사람은 모든 것을 저주하고 비관하는 일은 하지 않는다.

무언가를 시작하려고 할 때, 설령 그것이 무엇이든 간에 최초에는 실패하는 것이 당연한 일이다. 재주가 없는 사람은 약간의 동작에도 체중을 다 실어버리고 만다. 게다가 못 박는 간단한 일조차 처음에는 누구나 어색하기 마련이다.

그와 달리 연습하여 몸에 익힌 기술에는 한계가 없다. 모든 예술 작품과 수작업이 그것을 증명해 주고 있다.

〈69 매듭을 풀다〉

제7장
행복에 대하여

마음속에 희망을 품어라

무슨 일이든 감사한 뒤에 받아라. 희망에서 이유가 싹트고 징조에서 성공이 시작되기 때문이다.

무슨 일이든 운이 좋고 밝은 징조로 만들자.

에픽테토스는 이렇게 말했다.

"본인이 원하기만 하면 검은 고양이도 좋은 징조이다."

이것은 무조건 기쁨을 찾아내라는 것만이 아니라 마음속으로 희망을 품으면 모든 것이 행복의 원천이 된다는 뜻이다. 마음속 희망에는 모든 것의 흐름을 바꾸는 힘이 있는 것이다.

〈20 언짢음〉

노력하라

느릅나무 한 그루와 비교한다면 좀 벌레 한 마리는 대단한 것이 아니다. 그러나 이 작은 벌레가 끝없이 갉아먹으면 숲까지 다 먹어치워 버린다.

운명은 불변의 것이 아니다. 손가락을 튕기는 순간에도 새로운 세계가 탄생한다. 아무리 적은 노력이라도 그 결과는 가늠하기 어렵다.

〈27 느릅나무〉

행복을 만들어라 1

절대 잊지 마라. 생활이 물질적인 면에서 말 그대로 확실하게 보장되어 있다고 하더라도 행복은 스스로 모든 것을 만들어야 한다는 것을.

자신에게 아무런 부유함도 갖고 있지 않은 사람은 결국 숨어 있던 권태에 사로잡히게 된다.

〈41 기대〉

행복을 만들어라 2

누구나 매일 자신의 업무 속에서 스스로 나서서 처리하고 싶은 특별한 과제를 찾고 있다. 그러한 기대는 벽을 허물고 무성하게 자란 잡초와 가시덤불 대신 잘 정돈된 채소와 꽃밭을 발견하게 해준다.

〈41 기대〉

계속해서 부를 추구하라 1

상상의 행복이 실제로 눈앞에 있는 행복보다 크게 느껴지는 것은 자주 있는 일이다.

사람은 현실 속의 행복을 앞에 두고 모든 것이 끝난 것 같은 기분이 들어 그 자리에 주저앉아 전진을 멈춰버린다.

부에는 두 가지 종류가 있듯이 그 자리에 주저앉아버리는 부는 시시하다.

〈46 왕은 따분하다〉

계속해서 부를 추구하라 2

사람을 행복하게 해주는 부는 계획과 진행을 필요로 하는 것이다. 결국 손아귀에 넣어 자신의 것을 만들 때까지 마치 농부가 너무 갖고 싶었던 것을 최후의 순간이 되어 어렵게 자신의 것으로 만든 전답과도 같다. 우리가 즐기고 누리는 것은 정체된 힘이 아니라 활동 중인 힘이다.

〈46 왕은 따분하다〉

스스로 행동하라

묵묵히 시키는 대로 하지만 말고 스스로 행동하는 것, 여기에 기쁨의 본질이 있다.

사탕을 입에 넣고 녹이기만 하면 달콤함을 느낄 수 있다. 행복도 이런 식으로 음미하려 하는 사람이 많다. 그것은 잘못된 생각이다. 음악을 듣기만 한다면 그다지 즐겁지 않다. 현명한 사람은 음악을 귀가 아니라 목으로 즐긴다고 말한다.

훌륭한 그림을 즐기는 일에서도 수집을 하거나 때로는 스스로 캔버스에 그림을 그린다면 더 이상 수동적이고 어중간한 즐거움이 아니다. 중요한 것은 단순히 평가만 하는 것이 아니라 스스로 찾고 자신의 것으로 만드는 것이다.

〈47 아리스토텔레스〉

끊임없이 배워라

행복이란 흔히 환영과 같은 것이라고 한다. 남에 의한 행복은 분명 그렇다. 그런 행복은 처음부터 존재하지 않는다. 그러나 스스로 만들어낸 행복은 환영이 아니다. 그것은 배우는 과정에서 얻을 수 있다. 인간은 평생을 배워야 한다.

지식이 늘어갈수록 배워야 할 것이 더 많이 늘어난다. 라틴어를 배우는 기쁨이 좋은 예이다. 그 기쁨은 사라지기는커녕 실력이 늘수록 점점 더 커진다.

〈47 아리스토텔레스〉

너무 서두르지 마라 1

서둘러 사물을 보면 모두 똑같이 보이고 만다. 여행을 가서 폭포를 보더라도 그저 폭포로밖에 보이지 않는다.

그러므로 빠르게 둘러보며 여행하는 사람은 여행을 시작했을 때와 비교해서 많은 추억이 남는 일이 거의 없다.

〈52 여행〉

너무 서두르지 마라 2

풍경의 진정한 가치는 세세한 부분에 있다.

본다는 행위는 잠시 발길을 멈추고 그 대상의 세세한 부분을 꼼꼼히 살핀 다음 다시 한번 전체를 천천히 둘러보는 것이다.

〈52 여행〉

너무 서두르지 마라 3

폭포를 보러 가면 모두 똑같아 보인다. 그러나 바위에서 바위로 이동하면 같은 폭포라도 보는 방향에 따라 다르게 보인다. 그리고 다시 이미 본 것을 되돌아가 보게 되면 처음 봤을 때 이상의 감명을 받는다. 그것을 비로소 처음 보게 되는 것이다. 생활이 단조롭지 않게 하기 위해서는 여러 가지를 풍부하게 천천히 음미하면 된다. 덧붙여 말하자면, 천천히 바라보는 습관이 생기면 평범한 풍경조차 더없는 기쁨을 느끼게 해준다.

게다가 밤하늘의 별은 어딜 가나 볼 수 있다. 이보다 더한 장관은 없다.

〈52 여행〉

행복하기 위해 노력하라

불행해지는 것은 어렵지 않다. 어려운 것은 행복해지는 것. 그렇다고 해서 당신이 노력하지 않는 이유는 될 수 없다. 정반대다. 속담에도 있듯이 보람이 있는 일은 무슨 일이든 어렵기 마련이다.

〈54 과장된 열변〉

강한 생명력을 믿어라

슬퍼하고 있어서는 안 된다. 희망을 품어야 한다. 자신이 희망을 품지 못하면 남에게 희망을 줄 수 없다.

생명력을 믿고 미래에 대한 밝은 생각, 생명이 승리할 것을 믿어라. 이것은 생각보다 쉬운 일이다. 왜냐하면 당연한 일이니까.

모든 생명체는 생명의 강인함을 믿고 있다. 그렇지 않다면 그 자리에서 죽어버릴 테니까.

〈58 동정에 대하여〉

자신감을 가져라

동정받고 싶어 하는 사람은 아무도 없다.

마음이 너그러운 사람은 마음을 상처를 주지 않는 환자에게 용기를 불어넣어 기운을 회복하게 한다.

자신감은 매우 훌륭한 만병통치약이다.

〈58 동정에 대하여〉

역경을 자신과 분리하여 생각하라

사람들은 대부분 살아가는 요령을 잘 모르고 있다.

내 생각에 행복의 단 한가지 비결은 자신의 언짢음을 괘념치 않는 것이다. 이렇게 몰아낸 언짢은 기분은 개가 개집으로 돌아오는 것과 마찬가지로 원래의 야생상태로 돌아간다.

그리고 나는 이것이야말로 윤리학에서 가장 중요한 부분 중의 하나라고 생각한다. 다시 말해 자신의 실패와 후회, 반성에서 비롯되는 모든 괴로움을 자신과 분리하여 생각하는 것이다.

'지금의 화도 때가 되면 사라질 것이다.' 라고 여겨라. 어린아이가 때가 되면 울음을 멈추듯이 화도 금방 사라질 것이다.

〈66 스토아 철학〉

인생을 충분히 즐겨라

인생은 흥분되는 즐거운 일로 가득하다. 돈도 전혀 들지 않는다. 그런데도 우리는 충분히 즐기지 못하고 있다. 모든 언어로, 가는 곳마다 이런 표어를 걸어야 한다. '눈을 크게 뜨고 즐겨라.'

〈70 인내〉

억지로 시간을 조종하려 하지 마라

일의 방법을 익히려고 한다면 설령 머릿속으로 생각하더라도 열차를 밀어서는 안 된다. 열차는 그 자체로 움직이고 있으니까.

장엄하고 변함없는 시간을 떠밀어서는 안 된다. 시간은 우주의 모든 것을 시시각각 움직이고 있기 때문이다. 일체의 것들은 눈 깜짝할 사이에 순식간에 당신을 휩쓸어버릴 힘이 있다.

자신에게 너그럽고 자신의 편이 되는 방법을 몸에 익혀야 한다.

〈70 인내〉

먼저 자신이 미소 지어라

싸움닭처럼 당장에라도 전장에 나갈 듯이 다가오는 소심한 사람도 당신이 친절을 보여주면 안심을 한다.

구름처럼 서로에게 다가가는 두 사람이 있다고 하면 둘 중 어느 한쪽이 미소를 지어줄 필요가 있다는 뜻이다. 먼저 본인이 미소를 짓지 않는다면 누가 미소를 짓겠는가. 자신이 먼저 미소를 지어 보이지 않는다면 당신은 어리석은 사람이다.

〈71 배려〉

웃음 요법

입욕, 사우나, 식이요법 등 각자 서로의 요법에 관해 이야기를 나누다 한 사람이 이렇게 말했다.

"얼마 전부터 웃음 요법을 하고 있는데 결과가 매우 좋아. 짜증이 나 있을 때는 무얼 보더라도 아름답거나 좋다는 생각이 들지 않지. 남을 대할 때는 물론이고 자신에게도 그렇지. 이럴 때는 웃음 요법을 해야 해. 화가 나서 욕설을 퍼붓고 싶을 때도 웃음 요법을 쓰는 거야. 그러면 언덕길이 다리를 단련시켜 주듯이 작은 걱정거리가 오히려 도움이 되곤 하지."

그러자 다른 한 사람이 이렇게 말했다.

"세상에는 비난만 하고 푸념을 늘어놓기 위해 모이는 사람들이 있지. 이런 사람들을 피하는 게 보통이지만 웃음 요법은 반대로 그들을 찾아다니지. 마치 체조에서 이용하는 고무 밴드 같은 거야. 처음에는 작은 것을 당기고 점점 큰 것을 당기는 것과 마찬가지로 차츰 수위를 높여가며 연습하지. 그들이 평소보다 들어주기 힘든 불평을 늘어놓을 때면 이렇게 생각하네. '이건 좋은 훈련이야. 용기를 내서 불평불만을 더 하게 부채질하자.'"

나머지 한 사람이 이렇게 말했다.

"사물에서도 마찬가지야. 타버린 스튜, 굳어버린 빵, 태양, 먼지, 계산서, 텅 빈 지갑. 이런 건 매우 좋은 훈련 대상이지. 그럴 때면 권투나 펜싱을 떠올리네. '멋진 일격이 날아오면 피할 것인가, 그대로 받아들일까.' 보통 사람들은 어린애처럼 울다가 웃는 게 창피해서 더 심하게 울지. 하지만 웃음 요법은 이런 것들을 샤워하듯이 시원하게 흘려버리지. 웃음 요법을 하고 나서부터는 모든 것이 달라졌어. 어떤 일이든 그 상황을 받아들이니까."

〈74 어떤 요법〉

집착보다는 무관심

곰곰이 생각하다 보면 터무니없는 생각이나 과장된 생각에 이르게 되는 경우가 왕왕 있다.

만약 내가 선택을 한다면 곰곰이 생각하고 집착하는 것보다 무관심을 선택할 것이다. 그것이야말로 정신위생에 좋으니까.

〈75 정신위생〉

머릿속을 텅 비워라

복잡한 생각을 털어버려라. 정신위생 법칙은 이렇다. 같은 일을 다시 생각하지 말 것.

머릿속을 텅 비우는 데 효과적인 방법 두 가지가 있다.

하나는 주변을 둘러보고 눈에 보이는 것을 온몸으로 받아 느끼는 것이다. 반드시 효과가 있을 것이다.

두 번째는 원인과 결과를 되짚어보는 것이다. 이것은 비관적인 생각을 몰아내는 확실한 방법이다. 왜냐하면 원인과 결과의 고리를 되짚어보는 것은 일종의 여행과 같은 것이라 순식간에 먼 곳에 이르게 해주기 때문이다.

〈75 정신위생〉

애정을 갖고 행동하라

데카르트를 읽으면 사랑이 건강에 매우 좋은 것이고, 증오는 그 반대로 나쁜 것이라는 것을 알게 된다.

가령 증오심을 품은 채 행하는 모든 행위를 애정을 갖고 한다면 어떻게 될까? 사람, 행동, 일과 같은 온갖 요소가 섞인 것 중에서 아름답고 사랑스러운 것만을 항상 선택한다면 어떨까? 그것은 인류의 발전에 큰 전진이 될 것이다.

그것은 악한 것에 이의를 제기하는 가장 효과적인 방법이기도 하다. 다시 말해 훌륭한 음악에 손뼉을 쳐주는 것이 엉망인 음악에 욕을 퍼붓는 것보다 훨씬 낮고 공정하고 더욱 효과적이다. 사랑은 본능적으로 강하고, 증오는 본능적으로 약하기 때문이다.

〈76 모유 찬가〉

태어나 첫 기쁨을 잊지 마라

사람이 사랑을 제일 처음 칭송하는 것은 갓난아기 때이다. 어머니의 젖을 만족스러운 표정으로 감싸고 소중한 자양분을 충분히 섭취하며 온몸으로 모유에 대한 찬가를 부른다.

젖을 먹는 행복감은 태어나 처음으로 느끼는 본능적인 기쁨이다. 키스의 최초 유형을 젖을 먹는 갓난아기에서 볼 수 있다는 것은 누구나 알고 있다. 이 첫사랑의 행위를 사람은 결코 잊지 못할 것이다.

〈76 모유 찬가〉

우정에서 느끼는 행복

우정에는 아름다운 기쁨이 있다. 기쁨이란 사람에게 전달되고 퍼져나가는 것을 깨닫는다면 이것을 쉽게 이해할 수 있다.

내가 있음으로써 친구가 조금이나마 진정한 행복을 느낄 수 있다면, 친구의 행복해하는 모습을 보는 것만으로 다시 나도 행복을 느낀다. 이렇게 내가 주고 친구가 주는 기쁨은 다시 친구에게로 돌아간다. 이렇게 동시에 서로 한없는 기쁨이 퍼져나가는 것이다.

그리고 서로가 마음속으로 이런 생각을 한다. '내 마음속에 행복을 품고 있으면서 전혀 활용하지 못했구나!'

〈77 우정〉

웃으며 즐겨라

처음에 기쁨을 깨닫기 위해서는 서로 신호가 필요하다.

갓난아기가 처음 웃을 때, 그 웃음 속에는 아무런 표현도 들어있지 않다. 행복하기 때문에 웃는 것이 아니다. 반대로 웃고 있기 때문에 행복한 것이다. 음식을 먹으며 즐기는 것과 마찬가지로 웃으며 즐기고 있어야 한다.

그러나 그러기 위해서는 먼저 먹어보지 않으면 안 된다. 이것은 웃음에서도 해당된다. 생각하고 있는 것을 알기 위해서는 먼저 말이 필요한 것이다.

〈77 우정〉

즐거움의 씨앗을 뿌려라 1

"즐거움이 가득하시기를."

이것이야말로 서로가 나누어야 할 새해 인사이다. 이것은 무엇보다도 인사를 하는 본인의 마음이 충만해지기 때문에 진정한 예의이다. 인사를 나눌 때마다 커지는 보화이다. 이 보물을 거리에서, 버스 안에서, 시장에서 뿌리는 것이 좋다. 한 톨도 헛됨이 없다. 뿌려진 곳이 어디든 간에 성장하여 무성해질 것이다.

〈80 새해 인사〉

즐거움의 씨앗을 뿌려라 2

미소를 지어보자. 행동을 조심해 보자. 이거다 저거다 큰소리로 화를 내는 것을 조금만 줄여보자. 그러면 일은 의외로 쉽게 해결된다. 반대로 입을 앙다물고 있는 힘껏 고삐를 당기면 문제는 점점 복잡해질 것이다.

〈80 새해 인사〉

즐거움의 씨앗을 뿌려라 3

긍정적인 말을, 진심 어린 감사의 말을 사람들에게 건네자. 찬 음식이 나오더라도 너그럽게 대하라.

이 즐거움의 파도를 타려면 작은 바닷가에라도 도착할 수 있다. 주문을 받는 종업원의 목소리가 달라진다. 테이블 사이를 지나는 사람들의 태도가 바뀐다. 이렇게 즐거움의 파동은 자신을 포함하여 모든 사람의 기분을 가볍게 해주면서 주변으로 퍼져간다. 이것은 한계를 모른다.

그러나 처음에는 세심한 주의가 필요하다. 기분 좋게 하루를 시작하자. 기분 좋게 1년을 시작하자.

〈80 새해 인사〉

즐거움의 씨앗을 뿌려라 4

즐거운 표정은 누가 봐도 기분이 좋기 마련이다. 잘 알지 못하는 사람의 경우에는 더욱 그렇다. 의미를 모르더라도 표정을 그대로 받아들이면 되기 때문이다. 그것이 가장 좋은 것이다.

즐거움의 신호에는 그 신호를 발신한 본인을 즐겁게 하는 경향이 있으며 심오한 진실이다. 이렇게 즐거움이 가득한 표정은 널리 퍼져 모두 다 자신에게로 되돌아온다.

〈81 축하 인사〉

행복을 바라는 마음이 있다면 금방 행복해진다

신호에 어떤 의미가 있는지 이해했다면 당신은 스스로 이렇게 결심할 것이다.

'앞으로는 악의에 찬 신호도, 남들의 기분을 해치는 소식은 절대 전달하지 않겠다.'

사실은 별거 아니지만 슬픔을 과장되게 말하여 불행으로 이어지는 모든 사소한 불행으로부터 제일 먼저 자신이 강해져야 한다.

행복을 바라는 마음이 있다면 당신은 금방 행복해진다. 이것이 내가 말해주는 축하 인사다.

〈81 축하 인사〉

항상 남들을 즐겁게 해주어라

'행복하게 사는 요령'의 하나로 '즐겁게 해주기'를 들고 싶다. 이것은 속이거나 저속하지 않고 항상 즐겁게 해주는 것이고, 이것은 거의 항상 할 수 있는 일이다.

〈84 즐겁게 해주기〉

모든 것의 좋은 면을 보라

모든 것에는 칭찬할 것이 있다. 사람은 언제든 참뜻을 이해하지 못해 겁쟁이라고 여기는 대신 절도(節度)가 있다고 이해하고, 조심성이 없는 것이 아니라 우정이라고 이해해도 전혀 문제가 될 것이 없다.

특히 젊은 사람을 대할 때는 추측에 불과한 경우라면, 의심하지 말고 모든 것의 장점만을 보자. 젊은이들을 훌륭한 인간으로 묘사하자. 그러면 그들은 스스로 그렇게 믿고 그런 사람이 될 것이다. 반대로 그들을 비판한다고 해서 아무런 도움도 되지 않는다.

〈84 즐겁게 해주기〉

웃어넘기자

과감하게 웃거나 예의를 지키고 배려할 수 있는 상황은 언제 어디서든 있다.

인파 속에서 떠밀렸을 때에도 웃어넘기자. 웃음 덕분에 서로 떠미는 일도 사라질 것이다. 순간적으로 화를 낸 자신이 부끄러워질 테고 누구보다도 당신 자신이 진짜 화를 내는 일을 피할 수 있을 테니까. 이것은 일종의 병이다

〈84 즐겁게 해주기〉

자신에게서 행복을 찾자

행복은 스스로 얻은 것이 아니라면 행복할 수 없다. 행복을 자신 이외의 세계에서 추구한다면, 행복은 결코 모습을 드러내지 않는다. 바꿔 말하자면 행복은 논리적으로 이것이라고 정하거나 행복의 형태를 추정하는 것이 불가능하다. 그러나 당신은 행복을 자신의 내면에 틀림없이 가지고 있다. 당신이 장래에 행복해지고 싶다면 그것이 무엇인지 생각해보면 된다. 생각할 수 있다면 그것은 당신이 이미 행복을 가지고 있다는 것이다.

기대를 품는다는 것은 지금 행복하다는 것이다.

〈87 극복〉

몇 번이고 극복할 수 있다

지식은 멀리서 바라보더라도 재미가 없다. 그 안으로 파고들가야 한다.

처음에는 여러 가지 제약이 있을지도 모르고, 어느 정도의 곤란은 항상 따라다니기 마련이다. 꼼꼼하게 몇 번이고 극복할 것. 이것이 아마도 행복의 비결일 것이다. 그리고 그 행동은 다른 사람들과 함께할 때, 카드놀이나 음악과 전쟁과 마찬가지로 그 순간의 행복은 절정에 달하게 된다.

〈87 극복〉

행복은 사람을 빛나게 한다

행복한 마음으로 한 일은 우리의 눈을 즐겁게 해준다. 예술작품이 그 확실한 증거이다.

수려한 붓놀림에서 '수려한'은 '행복한'이라는 의미가 있다. 좋은 행위는 모두 그 자체가 아름답게 사람의 얼굴을 빛나게 해준다. 아름다운 얼굴이 사람들에게 그 어떤 근심도 주지 않는 것은 보편적인 진실이다.

〈88 시인〉

먼저 자신이 행복해져라

모래에 씨앗을 뿌리면 아무것도 수확할 수 없다. 이것을 잘 생각해보면 성경의 '씨앗을 뿌리는 사람'의 유명한 비유를 이해할 수 있을 것이다. 아무것도 가지지 않은 사람은 아무것도 받을 자격이 없다는 것이다.

자신이 강하고 행복하다고 생각하는 사람은 다른 사람의 덕분에 더 행복해지고 더 강해질 것이다. 이처럼 행복은 왕성하게 주기보다 받는 것이 더 많아진다. 이 때문에 자신의 내면에 행복을 품고 있지 않다면 나눠줄 수도 없는 것이다.

〈89 행복은 미덕〉

행복해지길 바라고 행동하라

당신은 행복해지기를 바라고 그것을 위해 행동해야 한다.

만약 방관자의 입장으로 행복이 들어오도록 문을 열고 기다리고만 있다면 결국 문안으로는 슬픔만 들어올 것이다. 언짢음을 내버려 두면 그것은 금방 슬픔과 분노로 변하고 만다. 이것이야말로 비관주의다. 아무 할 일이 없는 아이를 보고 있으면 그 사실을 쉽게 알 수 있다.

〈90 행복은 관대하다〉

스스로 행복해지는 것이 최대의 공헌

즐거움에는 관대한 부분이 있다. 받기보다는 오히려 주고 있다. 타인의 행복을 생각해야 한다는 것도 그런 이유에서다. 그러나 흔히 듣기 어려운 말이지만, 자신을 사랑해주는 사람들을 위해 할 수 있는 가장 좋은 일은 스스로 행복해지는 것이다.

〈90 행복은 관대하다〉

자신의 불행에 대해 말하지 말라

'행복하게 사는 요령'에서 가장 중요한 것은 지금이든 과거든 간에 자신의 불행을 타인에게 절대 말하지 않는 것이다. 불평을 늘어놓는 것은 타인을 슬프게 할 뿐이라 머지않아 언짢은 기분이 들게 한다.

슬픔이란 독과 같은 것이라 그것을 즐기는 사람도 있겠지만, 사람에게 있어서 해가 될 뿐이다.

〈91 행복하게 사는 요령〉

날씨가 좋지 않을 때 더욱 밝은 표정을 지어라

비가 내리고 있다. 지붕을 때리는 소리가 난다. 빗줄기가 흐르고 있다. 먼지가 씻겨나가 공기가 맑아졌다. 비구름은 비단을 찢어놓은 듯하다―이렇게 아름다움을 이해할 수 있어야 한다. 수확을 망치겠어, 흙투성이가 되겠어, 풀밭에 앉아 쉬고 싶은데―라고 투덜거려도 아무런 도움도 되지 않는다. 비가 올 때는 더욱 밝은 표정을 보고 싶어진다. 그러므로 날씨가 좋지 않을 때야말로 밝은 표정을 지어라.

〈91 행복하게 사는 요령〉

행복을 바라고 스스로 만들어라

불행하거나 언짢아지는 것은 어려운 일이 아니다. 그냥 가만히 앉아 있기만 하면 된다. 웃겨주기를 기다리는 왕자처럼.

행복해지는 것은 언제나 어렵다. 행복은 수많은 사건과 수많은 사람과 끊임없이 싸워야 하는 일이다. 때로는 질 수도 있을 것이다. 극복하기 어려운 장애와 재난도 있다. 스토아학파의 제자들보다 강력하다.

단, 무엇보다 확실한 우리의 의무는 스스로 졌다고 생각하기 전에 최선을 다해 싸우는 것이다. 특히 확실한 것은 행복해지고 싶다는 소망이 없다면 행복이란 있을 수 없다. 자신의 행복을 바라고 스스로 만들어내지 않으면 안 된다.

〈92 행복할 의무〉

행복한 사람만이 사랑을 받는다

아직 충분히 설명하지 않았지만, 행복해지는 것은 타인에 대한 의무이기도 하다.

행복한 사람만이 사랑을 받는다는 말은 대단한 진리이다. 하지만 그것은 응당 받아야 할 보수라는 것을 잊고 있다.

왜냐하면 불행, 따분함, 우울은 누구나 주변 어디에나 있는 것이기 때문이다. 이런 탁한 공기를 씻어내 줄 사람들, 어떤 의미에서 그 활력 넘치는 삶의 모습을 보여 줌으로써 모두의 활력을 정화해 줄 사람들에 대해서 우리는 감사의 마음과 승리의 월계관을 바쳐야 한다.

〈92 행복할 의무〉

행복이야말로 최고의 선물

사랑에 있어서 행복해지겠다는 맹세만큼 심오한 것이 없다.

사랑하는 사람들의 따분함과, 슬픔과, 불행을 이겨내는 것보다 어려운 일은 있을 수 없다.

남자도 여자도 모두 반드시 가슴에 깊이 새겨야 한다. 그것은 행복이야말로―내가 말하는 것은 스스로 싸워 쟁취하는 행복을 말하지만―가장 훌륭하고 가장 아낌없이 나눌 수 있는 선물이라는 것이다.

〈92 행복할 의무〉

의지를 갖고 행복해지자

비관주의는 감정에서 비롯되는 것, 낙관주의는 의지에서 비롯되는 것. 단지 마음이 가는 대로 사는 사람은 모두 슬프다. 아니, 슬프다는 것만으로는 부족하다. 왜냐하면 그런 사람은 머지않아 분노를 폭발시키기 때문이다.

결국 좋은 감정이라 할 수 없다. 감정은 정확하게 말하자면 항상 좋지 않은 것이다. 따라서 행복은 모두 의지와 극기에서 비롯되는 것이다.

〈93 맹세하라〉

행복하겠다고 맹세하라

낙관주의는 맹세가 필요하다. 처음에는 이상하게 들릴 수도 있지만 행복해지겠다고 맹세하지 않으면 안 된다.

'슬퍼지는 생각은 모두 잘못된 생각이다.' 라는 것을 유념하라. 아무리 주의를 해도 부족하다. 왜냐하면 사람은 아무것도 하지 않으면 곧바로 불행을 당연하다는 듯이 만들어내기 때문이다. '따분함' 이 그 좋은 증거다.

〈93 맹세하라〉

제8장
이웃과 미래에 대하여

정신의 병

상상력은 그 옛날 중국의 사형집행관보다 가혹하다. 그것은 공포를 조합하여 우리에게 온갖 공포를 느끼게 한다. 현실적으로 참사는 같은 곳에 두 번 일어나지 않는다. 단 일격으로 희생자를 제물로 삼아버린다. 그 사람은 조금 전까지 우리와 마찬가지로 참사는 생각조차 하지 않았다. 산책하던 사람이 자동차에 치어 20m를 날아가 즉사한다. 참사는 그것으로 끝이다. 처음도 없고 그다음도 없다. 그것이 지속하는 것은 반성에 의해서이다.

그러므로 나는 생각하고 궁리할 때 매우 잘못된 판단을 한다. 나는 끊임없이 당장에라도 사고를 당할 것 같으면서도 결코 사고를 당하지 않는 인간으로서 판단하고 있다. 나는 자동차가 달려오는 것을 상상한다. 실제로 그런 일이 있다면 피할 것이다. 그러나 나는 피하지 않는다. 나는 사고를 당한 사람의 처지에서 생각해보기 때문이다. 자동차에 치이는 것을 마치 영화의 한 장면처럼 떠올린다. 그것도 느린 동작으로, 그리고 이따금 멈추기도 하면서. 다시 처음부터 살펴본다. 천 번을 죽어도 생생하게 살아 있다.

파스칼은 이렇게 말했다.

"건강한 사람이 병을 두려워하는 것은 그가 건강하기 때문이다."

중병에 걸려 쇠약해지면 결국 직접적인 작용 이외의 병은 느끼지 못하게 된다. 사건이란 아무리 나쁜 사실이라고 하더라도 장점이 있다. 그것은 가능성의 작용을 끝내고 두 번 다시 발생하지 않으며, 우리에게 새로운 색채를 띤 새로운 미래를 제시하는 식이다. 괴로워하는 인간은 전날 밤에는 불행으로만 여겼던 평범한 상황에서도 멋진 행복이 있을 것이라고 여기고 그것을 희망한다. 우리는 우리가 생각하고 있는 것보다 훨씬 현명하다.

실제로 불행이란 사형집행관과 마찬가지로 빠르게 우리를 찾아온다. 머리카락을 자르고, 옷깃을 여미고, 팔을 묶은 다음 몸통을 내리친다. 이 시간이 길게 느껴지는 것은 내가 그것을 생각하며 되새기고, 가위 소리를 들으려 하고, 자신의 팔을 붙잡고 있는 자들의 손길을 느끼려 하기 때문이다. 실제로는 하나의 인상이 다른 인상을 몰아낸다. 그리고 사형수의 마음은 마치 몸통이 잘린 벌레처럼 전율할 것임에 틀림이 없다. 우리는 갈기갈기 찢진 벌레가 괴로워하는 것을 상상하지만, 벌레의 고통은 대체 어떤 부분일까?

어린아이로 되돌아가 버린 노인과 '폐인'이 된 알코올 중독자가 된 친구를 만나는 것은 괴로운 일이다. 왜냐하면 그들이 지금 그대로 살아 있기를 바라는 동시에 지금처럼 살아 있기를 원하지 않기 때문이다. 그러나 자연은 착실하게 진행되고, 그 진행은 다행히도 되돌릴 수가 없다. 새로운 상태가 각각 그 뒤를 잇는 상태를 만들어낸다. 당신이 모든 비통함을 한곳에 모은다고 하더라도, 그것은 시간이라는 여로에 뿌려지고 만다. 다음 순간을 가져다주는 것은 지금 이 순간의 불행이다. 노인이란 늙은 몸뚱이로 괴로워하는 젊은이가 아니다.

그러므로 죽음이 엄습하는 것은 살아 있는 사람뿐이고, 불행이라는 무거운 짐을 느끼는 것 또한 행복한 사람뿐이다. 요컨대 사람은 자신의 불행보다 타인의 불행을 더 느끼기 쉽다. 그리고 이것은 위선이 아니다. 여기서부터 인생에 대한 그릇된 판단이 시작되고 조심하지 않으면 그것은 인생의 독이 된다. 비극을 연출하는 대신에 진실의 지혜로 최선을 다해 현재의 진상을 파악하지 않으면 안된다.

사고

끔찍한 추락에 대하여 누구나 한 번쯤은 생각한 적이 있을 것이다. 커다란 마차의 바퀴 하나가 빠지면 처음에는 아마도 천천히 기울 것이다. 그러면 순식간에 심연의 허공에 뜨게 된 불쌍한 조난자들은 처참한 비명을 지른다. 이런 장면은 누구나 쉽게 상상할 수 있다. 개중에는 꿈에서 이러한 추락의 발단과 충격을 예감하는 사람도 있을 것이다. 그러나 그것은 생각할 수 있는 시간이 있기 때문이다. 그들은 상황을 흉내 내고 공포를 맛보고 있다. 실제로 추락하지 않고 추락하는 것을 생각해 볼 뿐이다.

하루는 한 여성이 내게 이렇게 말했다.

"저는 이런저런 게 다 무서워요. 하지만 언젠가는 죽고 말겠죠."

다행히도 상황의 기세라는 것은 우리에게 엄습할 때는 결코 망설임이 없다. 순간이라는 연결고리가 끊어져 버린다. 이 때문에 극단적인 고통은 눈에 보이지 않는 찰나의 순간에 지나지 않는다. 감각을 느끼지 못할 정도이다. 공포는 수면제와도 같다. 마취제는 의식의 최고점밖에 잠재우지 못하는 것 같다. 하급 기관은 제각기 움직이며 각각 괴로워한다. 그러나 통합적으로는 이루어지지 않는다. 고통이라고 하는 것은 가만히 바라보고 싶어 하거나, 아니면 전혀 느끼지 못한다. 1.000분의 1초만 느껴지고 순식간에 사라져 버리는 고통이란 무엇일까? 고통은 치통과 마찬가지로 사람이 그것을 예상하고 기다리며 현재의 전후로 한동안 지속시키는 것을 전제로 한다. 현재만이라고 하는 것은 없는 것과 마찬가지다. 우리는 고통 이상으로 두려움을 갖고 있다.

이러한 고찰은 진정한 모든 위안의 요점이자 의식 그 자체에 대한 정확한 분석에 근거하고 있다. 그러나 상상력은 비명을 지른다. 공포를 만들어 내는 것은 상상력의 장난이다. 약간의 경험이 필요할지도 모른다. 그러나 경험이 전혀 없는 것도 아니다.

어느 날, 나는 극장에서 사소한 공포 때문에 자리에서 10m를 넘게 도망친 적이 있다. 약간의 미심쩍은 냄새 때문에 모든 사람이 도망을 쳤다. 그런데 이렇게 인파에 휩싸여 어디를 가는지, 무슨 일이 벌어졌는지도 모른 채 떠밀려가야 할 정도로 끔찍한 일이 일어난 걸까? 나는 그 이유에 대해 전혀 알지 못했다. 바로 그 순간에도, 나중에 생각해 봤어도, 그저 몸이 가는 대로 맡겼을 뿐이다. 무슨 일이 일어난 것인지 생각할 틈조차 없었기 때문에 아무 생각도 하지 못했다. 예상도, 기억도, 아무것도 없었다. 다시 말해 지각도 없었고 감정조차 없었다. 오로지 몇 초 동안의 마취만 있었을 뿐이다.

전선을 향해 출발한 밤, 나는 소문과 무용담과 터무니없는 공상 등으로 가득한 열차 안에서 그다지 유쾌하지 못한 생각에 사로잡혔다. 열차 안에는 샤를루아(Charleroi: 벨기에의 남부 도시. 1914년 8월 말에 독일군이 이곳에서 승리하였다.) 패잔병 몇 명이 있었는데, 그들에게는 공포를 느낄 정도의 여유가 있었다. 게다가 구석에는 머리에 붕대를 감은 채 죽은 사람처럼 파랗게 질려 있는 사내가 있었다. 그 모습을 보자 전장의 끔찍한 장면이 현실적으로 다가왔다. 누군가 이렇게 말했다.

"놈들은 개미 떼처럼 우리를 공격했지. 아군의 포화로는 상대가 되지 않았어."

상상력은 패배했다. 다행히 죽은 사람 같았던 사내가 입을 열었다. 그리고 알자스(Alsace: 라인강 서쪽의 스트라스부르 시를 중심으로 한 프랑스의 지역권.) 전투 중 귀 뒤에서 바로 폭탄이 작렬해 죽을 뻔했던 상황을 생생히 이야기해 주었다. 이제 두려움은 상상이 아닌 현실이 되었다.

그는 이렇게 말했다.

"우리는 숲속으로 도망쳤어. 나는 숲 끝까지 내달렸지. 그리고 그다음은 어떻게 됐는지 기억이 안 나. 아마 공중에 튀어 올랐다가 떨어진 채 기절한 것 같아. 그리고 눈을 떠보니 병원 침대 위였지. 그리고 머리에서 엄지만 한 크기의 파편을 적출했다는 소리를 들었어."

이렇게 나는 지옥에서 탈출한 또 한 명의 에르(플라톤의 『국가론』에 등장하는 용사. 지옥에서 탈출하였다.)에 의해 상상 속 불행에서 현실의 불행으로 끌려갔다. 그리고 가장 큰 불행이란 상황을 나쁘게 생각하는 것이 아닐까 생각했다. 이 사실을 깨달았다고 해서 끔찍한 타격과 뼈가 부서지는 소리를 떠올리지 않게 된 것은 결코 아니다. 그러나 사람은 있는 그대로의 불행을 상상하는 것이 아니라는 사실을 알게 된 것만으로도 조금의 위안을 얻는다.

〈1923년 8월 22일〉

참극

난파선에서 구조된 사람은 끔찍한 기억이 있다. 창밖으로 보이는 빙벽. 순간의 주저와 희망. 그런 다음 고요히 바다 위를 비추는 거대한 물체의 광경. 그리고 뱃머리가 기운다. 빛이 순식간에 사라진다. 머지않아 1.800명 승객의 비명과 선미가 탑처럼 우뚝 솟는다. 그리고 온갖 기계들이 우레와 같은 소리를 내며 선수로 쏟아져 내린다. 결국 이 거대한 관은 물거품조차 일으키지 않은 채 바닷속으로 가라앉는다. 적막한 바다 위를 겨울밤이 지배한다. 그 뒤로 추위와 절망, 그리고 최후의 구조. 잠 못 이루는 밤마다 이 끔찍했던 비극이 셀 수 없이 재현된다. 지금은 온갖 기억들이 이것과 연관돼 있다. 마치 잘 짜인 각본처럼 모든 부분이 비극적인 의미를 띠고 있다.

『맥베스』 중에 객사의 아침, 문지기가 여명과 제비를 바라보는 부분이 있다. 매우 신선하고 간결하고 순수한 장면이다. 그러나 우리는 이미 범죄가 일어났다는 사실을 알고 있다. 비극적인 공포는 여기서 최고조에 달한다. 마찬가지로 난파를 떠올릴 경우에도 각각의 순간이 그것의 뒤를 이어 일어나는 상황에 따라 비친다. 이렇게 모든 빛을 밝히고 바다 위에 고요하고 당당하게 떠 있는 배의 모습은 그 순간에는 믿음직스러웠다. 그들의 난파에 대한 기억과 꿈, 그에 대한 내 상상 속 모습은 끔찍한 대기의 순간이다. 참극은 이제 고통을 매 순간 깨닫고, 이해하고, 느끼는 관객을 위해 재개된다. 그러나 실제 행위 그 자체에서는 이 관객은 존재하지 않는다. 반성 또한 없다. 인상은 광경과 동시에 변화한다. 좀 더 정확히 말하자면 광경 따위는 존재하지 않는다. 존재하는 것은 단지 해석되지 않고 아무 맥락도 없는 순간의 지각, 그중에서도 생각을 억누르는 행동뿐이다. 생각은 매 순간 난파된다. 하나의 이미지가 나타났다가 사라지고 또 다른 이미지가 나타났다가 사라진다. 앞에 말한 사건이 참극을 살해한 것이다. 죽은 사람들은 아무것도 느끼지 못했다.

느끼는 것, 그것은 반성하는 것이다. 떠올리는 것이다. 이와 비슷한 경우는 크고 작은 사고 시에 누구나 관찰할 수 있는 일이다. 특별한 일, 의외성, 절박한 행동이 모든 것을 앗아가 아무런 감정도 일으키지 않는다. 사건 그 자체를 완벽하게 재구성하고자 시험하는 사람은 아무것도 모른 채 예측도 불가능하여 마치 꿈을 꾸고 있는 것 같다고 할 것이다. 그러나 인제 와서 그것을 생각하고 느끼는 공포 때문에 비극적인 이야기를 하게 된다. 병든 누군가를 임종까지 지켜보는 경우처럼 큰 슬픔에 대해서도 마찬가지이다. 그

때는 망연자실하여 모든 것을 순간마다 행위와 지각에 맡기고 만다. 공포와 절망의 모습을 타인에게 전하는 순간에는 고통스럽지는 않다. 자신의 고통에 대해 지나치게 생각하는 사람들도 다른 사람을 울리기 위해 이야기할 때는 이 행위에서 조금이나마 위안을 찾기 마련이다.

특히 죽어버린 사람들은 어떻게 느꼈든 간에 죽음은 모든 것을 없애버렸다. 우리가 신문을 펼치기 전에 그들의 고통은 끝나버린 것이다. 그들은 치유되고 있다. 이것은 누구나 잘 알고 있는 생각이고 이것으로 비추어볼 때 사람은 사후의 생명을 실제로는 믿지 않는 것이 아닐까? 그러나 살아남은 사람들의 상상력 속에서 죽은 이들은 결코 죽음을 멈추지 않는다.

〈1912년 4월 24일〉

우리의 미래

사람은 모든 사건의 연관성과 원인과 결과의 관계를 정확하게 이해하지 않는다면 억눌리고 만다. 꿈과 마법사의 말은 우리의 희망을 말살시킨다. 전조는 거리의 이곳저곳에 널려 있다. 신학적 관념이다.

모두가 잘 아는 우화 중에 한 시인은 집이 무너져 압사된다는 예언을 들었다. 그는 한밤중에 집 밖으로 뛰쳐나왔다. 하지만 신들은 그를 눈감아 주지 않았다. 하늘을 날던 독수리가 그의 벗어진 머리를 바위로 착각하고 그의 머리 위에 거북이를 떨어뜨렸다고 한다.

또한 이런 이야기도 있다. 어느 왕자는 사자에게 죽임을 당한다는 신탁을 받았다. 여인들은 왕자를 집안에서 지키고 있었다. 그런데 왕자는 벽에 걸려 있던 사자 그림에 화가 났고, 주먹이 구부러진 못에 쓸려 피부 괴사로 죽고 말았다.

이런 이야기에서 말하는 관념은 훗날 신학자들이 설교에서 인용한 '이중예언론'이라는 관념이다. 그리고 그것은 다음과 같이 표현된다. '개개인이 무엇을 하든 그 운명은 정해져 있다.' 이것은 전혀 과학적이지 않다. 이 숙명론은 '원인이 무엇이든 간에 그로 인한 결과는 마찬가지다.' 라는 것이 되기 때문이다. 그러나 우리는 원인이 다르면 결과도 다르다는 것을 알고 있다. 그리고 다음과 같은 이치에 따라 이 피할 수 없는 미래라는 환상을 깨버렸다. 예를 들어 내가 어느 날 몇 시에 어떤 벽에 깔려 죽는다는 것을 알고 있다고 하자. 그러면 이렇게 알고 있다는 사실은 곧바로 예언의 실패로 이어질 것이다. 우리는 이런 식으로 살고 있는 것이다. 우리가 끊임없이 불행을 피할 수 있는 것은 불행을 예견하기 때문이다. 이렇게 예견한 것, 더군다나 매우 사리에 맞는 예견은 절대 일어나지 않는다. 도로 한복판에 서 있으면 자동차에 치일 것이다. 그 때문에 나는 도로에 서 있지 않는다.

그렇다면 운명에 대한 이 신앙은 어디서 온 것일까? 주로 두 가지 원천이 있다. 제일 먼저 두려움이 우리를, 우리가 기다리고 있는 불행 속에 투영시키는 것이다. 만약 내가 자동차에 치여 죽는다는 예언대로 운이 좋지 않아 그 순간 예언을 떠올린다면 그것만으로도 내 동작은 굼떠질 것이다. 그 순간에 내게 도움이 되는 관념은 도망치려는 관념이고, 그런 생각이 들자마자 행동으로 이어지기 때문이다. 이와 반대로 멈춰 서고자 하는 관념은 똑같은 메커니즘에 의해 나를 마비시키고 만다. 이것은 일종의 현기증과 같은 것으로 이것이 마법사들의 재산을 축적해준 것이다.

또 한가지, 우리의 정념과 악덕은 어떤 길로 선택하든 똑같은 목

적에 도달할 힘을 갖고 있다는 것도 알아야 한다. 도박의 길을 향한다면 도박을 할 것이고, 수전노의 길을 향한다면 돈을 모을 것이고, 야심가의 길을 향한다면 계책을 꾸미리라는 것을 예언할 수 있다. 마법사가 아니더라도 우리는 스스로 '나는 원래 이런 놈이다. 어쩔 수가 없어.'라는 주문을 건다. 이 또한 하나의 현기증 같은 것으로 이 환상이 예언을 완성하는 것이다. 우리 주변의 끝없는 변화, 크고 작은 온갖 인자의 변종과 끊임없는 개화 등을 잘 알고 있다면 충분히 숙명과 같은 것을 만들지 않아도 될 것이다. 『질 블라스 이야기』(Histoire de Gil Blas de Santillane: 18세기 작가 알랭 르네 르사주의 장편 소설. 현명한 질 블라스가 맨몸으로 파란만장한 모험을 통해 당대 사회의 여러 풍모를 재현하고 사회적인 비판을 가미하고 있는 프랑스의 대표적인 악당소설이다.)'를 읽어보라. 이것은 전혀 무거운 책이 아니다. 행운도 불행도 믿지 말고, 배로 비유하자면 모든 짐을 버리고 바람의 흐름에 맡기라고 가르치고 있다. 우리의 과실은 우리보다 먼저 소멸한다. 그런 것들을 미라로 만들어 소중하게 보관해서는 안 된다.

〈1911년 8월 28일〉

이웃의 정념

어떤 사람이 이렇게 말한다.

"서로 너무 잘 아는 사람들과 함께 산다면 얼마나 살기 힘들까? 사람은 자신의 시상에 대해 서슴없이 한탄하고 슬퍼하는 존재다. 그리고 그것을 통해 사소한 고민을 크게 만든다. 다른 사람들도 마찬가지다. 자신의 행위, 말, 감정 등에 대해 아무렇지 않게 불평을 늘어놓는다. 온갖 정념이 폭발하는 것을 내버려 둔다. 별 것 아닌 일로 맘대로 분풀이를 한다. 배려, 애정, 용서 같은 것을 완전히 믿고 있다. 서로 너무 잘 알고 있기 때문에 체면을 차리지 않는다. 이렇게 온종일 솔직한 것은 진짜라 할 수 없다. 그것은 모든 것을 과장하고 만다. 그러면 아무리 원만한 가정이라도 의외로 가시 돋친 말과 거친 행동과 마주하게 된다. 예의와 의식이란 평소에 생각했던 것 이상으로 유익한 것이다."

또 다른 사람은 이렇게 말한다.

"전혀 모르는 사람과 함께 산다면 얼마나 살기 힘들까? 지하에는 이자를 받고 생활하는 사람들을 위해 줄사다리를 걸어놓은 갱

부들이 있다. 실내에는 백화점의 멋쟁이 여성 고객을 위해 피로에 지친 어린 재봉사들이 있다. 지금 이 순간에도 부잣집 도련님들을 위해 수백 개에 달하는 완구를, 그것도 싼 임금으로 조립하고 풀칠하는 가난한 이들이 있다. 부잣집 도련님도, 멋쟁이 아가씨도, 이자를 받고 사는 사람들은 모두 그런 건 안중에도 없다. 그러나 사라진 애완견이나 병든 말을 보면 불쌍하게 여긴다. 이런 사람들은 하인들에게는 정중하고 친절하기를 원하고 그들의 눈이 충혈되어 뾰로통한 표정을 하는 꼴을 참지 못한다. 사람들은 팁을 아끼지 않는다. 그것은 위선이 아니다. 카페 직원과 심부름꾼과 마부 등의 기뻐하는 모습을 볼 수 있기 때문이다. 붉은 모자 가득 팁을 주는 그 인간이 철도원은 회사 월급만으로 아무 부족함이 없이 살 수 있다고 주장한다. 모두가 항상 남몰래 나쁜 짓을 하는 것이다. 그리고 사회라고 하는 것은 아무렇지 않고 선한 사람들에게 잔혹함을 허락하는 끔찍한 기계이다."

세 번째 사람은 이렇게 말한다.

"적당히 서로를 아는 사람과 함께 산다면 얼마나 살기 힘들까? 각자 자신의 말과 행동을 억제한다. 그리고 그것은 화를 억제한다. 즐거운 표정이 얼굴에 나타나면 이윽고 마음도 즐거워진다. 말하고 후회할 것 같은 말은 결코 말할 생각조차 하지 않는다. 사람들은 자신에 대해 잘 모르는 사람 앞에서는 자신의 장점을 보이기 마련이다. 그리고 이 노력으로 우리는 종종 타인은 물론이고 자신에 대해서도 더 바르게 행동한다. 사람은 미지의 인물에게서는 아무 것도 바라지 않는다. 조금이라도 도움이 된다면 충분히 만족한다. 내가 보기에 외국인이 붙임성이 좋은 것은 모나지 않은 아부밖에 할 줄 모르기 때문이다. 외국을 좋아하는 사람이 있는 것도 이 때문이다. 그들에게는 심술을 부릴 기회가 전혀 없다. 그 때문에 외국에서는 스스로 더욱 만족한다. 대화는 별개로 하더라도 거리를 걷다 보면 대단한 우정, 대단히 가벼운 사교성과 마주하게 된단 말인가. 노인도 아이도, 개조차도 호의를 표하며 곁을 지나친다. 이와 반대로 거리에서는 마부들이 손님을 두고 한바탕 말싸움을 벌이고 있다. 어떻게 해야 좋을지 모르는 여행자들에게 쫓기고 있다. 구조가 복잡한 것도 아니면서도 이미 삐걱거리고 있다. 사회의 평화라고 하는 것은 직접적인 교제, 이해관계, 의견과 험담 등의 직접적 교환에서 비롯되는 것으로 설립된 조합이나 단체와 같은 기계적인 조직에서 비롯되는 것은 아닐 것이다. 오히려 그 반대로 너무 크거나 작지 않은 이웃과의 관계에서 비롯되는 것이다. 지역별 연방주의야말로 진짜이다."

〈1910년 12월 27일〉

가정에서

사람 중에서는 시끄러운 것에 익숙한 사람과 타인의 입을 막으려는 사람, 두 부류가 있다. 나는 일을 하거나 잠을 자려 할 때, 작은 소리가 나거나 의자를 거칠게 움직였다고 거칠게 화를 내는 사람들을 많이 알고 있다. 내가 알고 있는 사람들은 타인의 행동에 간섭하는 일이 결코 없다. 이런 사람들은 이웃의 대화나 웃음소리와 노래 등을 못 하게 하느니 차라리 중요한 생각이나 두 시간의 잠을 포기하는 것이 낫다고 생각하는 것이다.

이런 두 부류의 사람들은 어딜 가나 자신과 반대되는 사람을 피하고 동료를 찾는다. 공동생활의 규칙과 규율이 서로 완전히 다른 가정이 부딪히는 것은 이 때문이다.

어느 가정에서는 단 한 사람이 싫어하는 것을 가족 모두가 금지하는 것이 암묵적으로 인정되고 있다. 한 사람은 꽃 냄새를 싫어한다. 또 한 사람은 큰소리로 이야기하는 것을 못 참는다. 한쪽이 밤에 조용하기를 요구하면 다른 한쪽에서는 아침에 조용하기를 요구한다. 한 사람은 종교에 관해 이야기하고 싶어 하지 않고, 또 한 사람은 정치 이야기가 시작되는 것을 참지 못한다. 서로가 '거부권'을 인정하고 모두가 이 권리를 엄숙히 행사한다. 한 사람이 "이 꽃 때문에 온종일 두통이 날 것 같아."라고 하면 다른 한 사람이 "11시경 거칠게 문을 닫는 소리 때문에 어젯밤에 잠을 못 잤다."고 한다. 식사할 때는 마치 회의를 하듯이 서로 각자의 불만을 토로한다. 이윽고 모두는 이 복잡한 헌장을 외우게 된다. 그리고 교육의 목적은 이 헌장을 아이들에게 가르치는 것 이외의 그 무엇도 아니다. 종국에는 꼼짝도 하지 않고 서로 얼굴을 마주한 채 아무 의미 없는 말을 하게 된다. 이렇게 음습한 평화와 따분한 행복이 완성된다. 요컨대 단지 서로가 상대를 괴롭게 하는 이상으로 상대를 괴롭히고 있다는 이유로 서로에게 관대하다고 착각과 확신 속에 반복하게 되는 것이다. '자신을 위해 살아서는 안 된다. 타인을 생각하지 않으면 안 된다.'

또 이런 가정도 있다. 이 가정에서는 각자의 변덕스러운 삶을 신성시하고, 사랑하고 또한 자신의 기쁨이 때로는 타인에게 불편을 끼친다는 생각을 전혀 하지 않는다. 그러나 이런 사람은 두말할 필요 없이 에고이스트(이기주의자)이다.

〈1907년 7월 12일〉